MW00795630

CLÁSICOS ESENCIALES SANTILLANA

1. *Romancero.*
   Selección, estudio y notas por Manuel Morillo Caballero.

2. *Lazarillo de Tormes.*
   Estudio y notas por Eugenio Alonso Martín.

3. Miguel de Cervantes: *Don Quijote de la Mancha.*
   Selección, estudio y notas por Milagros Rodríguez Cáceres.

4. *Antología poética del Renacimiento al Barroco.*
   Selección, estudio y notas por Edelmira Martínez Fuertes.

5. Tirso de Molina: *El Burlador de Sevilla.*
   José Zorrilla: *Don Juan Tenorio.*
   Estudio y notas por Begoña Alonso Monedero.

6. Gustavo Adolfo Bécquer: *Rimas* y *Leyendas.*
   Selección, estudio y notas por Abraham Madroñal Durán.

7. *Antología de la novela realista.*
   Selección, estudio y notas por Carmen Herrero Aísa.

8. *Antología poética de Antonio Machado.*
   Selección, estudio y notas por Luis García-Camino.

9. Miguel de Unamuno: *Niebla.*
   Estudio y notas por Miguel Ángel García López.

10. Miguel Mihura: *Tres sombreros de copa.*
    Estudio y notas por Anselmo Rosales Montero.

ANTOLOGÍA
DE LA NOVELA REALISTA

ANTOLOGÍA
DE LA NOVELA
REALISTA

Selección, estudio y notas por
María del Carmen Herrero Aísa

✹ Santillana

Dirección:	Sergio Sánchez Cerezo
Asesoría literaria:	Eugenio Alonso Martín
Edición:	Alberto Martín Baró, Mercedes Rubio
Corrección:	Rocío Bermúdez de Castro
Diseño de cubierta:	Isaac Zamora, Teresa Perelétegui
Diseño de interior:	José Luis Andrade
Selección de ilustraciones:	Maryse Pinet, Mercedes Barcenilla
Composición y ajuste:	Ángeles Bárzano, Begoña Pascual, José Luis Serrano
Realización:	Miguel García
Dirección de realización:	Francisco Romero

© De esta edición: 1995, Santillana, S. A.
Elfo, 32. 28027 Madrid

Aguilar, Altea, Taurus, Alfaguara, S. A.
Beazley, 3860. 1437 Buenos Aires

Aguilar, Altea, Taurus, Alfaguara, S. A. de C. V.
Avda. Universidad, 767, Col. Del Valle
México, D. F. C. P. 03100

Editorial Santillana, S. A.
Carrera 13, n.º 63-39, piso 12
Santafé de Bogotá - Colombia

Aguilar Chilena de Ediciones, Ltda.
Avda. Pedro de Valdivia, 942
Santiago - Chile

Ediciones Santillana, S. A.
Boulevard España, 2418
Montevideo - Uruguay

Santillana Publishing Co.
901 W. Walnut Street
Compton, California 90220

Printed in Spain
Impreso en España por
Unigraf, S. A., Móstoles (Madrid)
ISBN: 84-294-4627-3
Depósito legal: M-34167-1995

Índice

Presentación 9

Antología de la novela realista 11

   Comienzos de la novela realista 13

      Fernán Caballero (1796-1877) 13
      La Gaviota (1849) 14

      José María de Pereda (1833-1906) 24
      De tal palo tal astilla (1880). 25

      Juan Valera (1824-1905). 40
      Pepita Jiménez (1874). 40

   El influjo naturalista 60

      Determinismo ambiental; lo feo, lo ruin, lo sórdido . . 60
      Emilia Pardo Bazán (1851-1921) 60
      Los pazos de Ulloa (1886). 61
      Amor y erotismo 83
      Leopoldo Alas «Clarín» (1852-1901). 83
      La Regenta (1884). 83

   La sociedad contemporánea. 111

      Benito Pérez Galdós (1843-1920). 111
      Fortunata y Jacinta (1887). 112
      La Tribuna (1882) de Emilia Pardo Bazán 120
      Miau (1888) de Benito Pérez Galdós. 127

   Superación del naturalismo 136
      Misericordia (1897) de Benito Pérez Galdós 136

Estudio de la novela realista 165

   Sociedad y cultura de la época. 167
      Contexto histórico-social 167
      Contexto cultural 168

Realismo y naturalismo. 170

    Qué se entiende por realismo 170

    Qué es el naturalismo 171

    Innovaciones de la novela realista y naturalista 172

    Grandes nombres del realismo 175

El realismo y el naturalismo en España. 177

Opiniones sobre la novela realista 185

Cuadro cronológico 188

Bibliografía comentada. 190

Presentación

*Mucha gente piensa que su existencia es normal,
excesivamente normal para hacer de ella
una novela. Pero un día, antes o después, surge
de forma inesperada un hecho singular
que disuelve la vulgaridad cotidiana
en la tensión del amor, la ilusión, la amenaza
o la destrucción. Pasado ese momento,
de nuevo se vuelve a la repetición de los
días más o menos iguales.*

*¿No es algo similar lo que les ocurre
a los personajes novelescos? La Regenta huye
del tedio de su vida vacía cayendo en los brazos
de don Álvaro, desde los cuales retorna
a la soledad de su frío caserón. Amparo,
la Tribuna, escapa de su vida humilde
con la doble esperanza de la política
y del amor, pero tras el fracaso vuelve
desilusionada a la vida de antes.*

*La historia de estos personajes no es
en el fondo tan diferente de las nuestras,
aunque el ropaje, los usos y las formas del
siglo XIX pudieran hacernos pensar algo distinto.*

ANTOLOGÍA
DE LA NOVELA REALISTA

COMIENZOS DE LA NOVELA REALISTA

Se han seleccionado en este apartado tres novelas de otros tantos autores que fueron claves en los inicios del realismo. La Gaviota, de Fernán Caballero, marca la transición de la narrativa romántica a la realista. Con De tal palo tal astilla, José María de Pereda pretende probar una tesis, convirtiendo así la novela en instrumento al servicio de una ideología. Finalmente, Pepita Jiménez, primera novela de Juan Valera, sirve de ejemplo de análisis psicológico de los personajes.

FERNÁN CABALLERO (1796-1877)

Fernán Caballero, seudónimo de Cecilia Böhl
de Faber, fue hija de madre andaluza y padre alemán.
Nacida en Suiza, recibió su educación en Alemania.
Se casó varias veces y pasó la mayor parte de su vida
en Andalucía, donde dedicó mucho tiempo a observar
y recopilar costumbres pintorescas del pueblo andaluz.
Su primera novela, *La Gaviota* , fue publicada en 1849
como folletín de un periódico. Escribió otras obras –*Lágrimas,
La familia de Alvareda, Clemencia, Elia*– y en todas
ellas manifiesta su visión conservadora
y su afición a recrearse en elementos folklóricos.

Retrato de Cecilia Böhl de Faber. La Ilustración Española
y Americana, *1875 (Biblioteca Nacional, Madrid).*

LA GAVIOTA
(1849)

Marisalada, apodada la Gaviota, es una muchacha hosca,
salvaje y egoísta. Vive rodeada de personas generosas, que un buen
día recogen a un médico alemán, Stein. Éste descubre la maravillo-
sa voz de la Gaviota y emprende la tarea de refinarla.
No sólo cambia su vida, sino que acaba casándose con ella
y la conduce al triunfo en la gran ciudad. Pero Marisalada
es desagradecida: lo abandona y también olvida a su padre
y a los amigos que la han ayudado en su pueblo.
Finalmente tiene su castigo: pierde la voz y con ella
la alta posición que había alcanzado.

En los fragmentos seleccionados no aparecen las maldades
de la protagonista, sino la bondad de todas las gentes que la
rodean en el pueblo: son personajes sencillos, inocentes, apegados
a la tradición y a la caridad cristiana.

[...]

A la derecha, y en lo alto de un cerro, [Stein] descubrió un vasto edificio, sin poder precisar si era una población, un palacio con sus
dependencias, o un convento.

Casi extenuado por su última carrera, y por la emoción que re-
cientemente le había agitado, aquel fue el punto a que dirigió sus pasos.

Ya había anochecido cuando llegó. El edificio era un convento,
como los que se construían en los siglos pasados, cuando reinaban la fe
y el entusiasmo: virtudes tan grandes, tan bellas, tan elevadas, que por
lo mismo no tienen cabida en este siglo de ideas estrechas y mezqui-
nas; porque entonces el oro no servía para amontonarlo ni emplearlo
en lucros inicuos, sino que se aplicaba a usos dignos y nobles, como
que los hombres pensaban en lo grande y en lo bello, antes de pensar
en lo cómodo y en lo útil. Era un convento, que en otros tiempos sun-
tuoso, rico, hospitalario, daba pan a los pobres, aliviaba las miserias y
curaba los males del alma y del cuerpo; mas ahora, abandonado, vacío,
pobre, desmantelado, puesto en venta por unos pedazos de papel, nadie había querido comprarlo, ni aun a tan bajo precio[1].

---

[1] Alude a la desamortización de Mendizábal (1837), medida política que desposeyó
a la Iglesia de sus bienes para subastarlos públicamente.

La especulación, aunque engrandecida en dimensiones gigantescas, aunque avanzando como un conquistador que todo lo invade, y a quien no arredran los obstáculos, suele, sin embargo, detenerse delante de los templos del Señor, como la arena que arrebata el viento del desierto, se detiene al pie de las Pirámides.

El campanario, despojado de su adorno legítimo, se alzaba como un gigante exánime, de cuyas vacías órbitas hubiese desaparecido la luz de la vida. Enfrente de la entrada duraba aún una cruz de mármol blanco, cuyo pedestal medio destruido, la hacía tomar una postura inclinada, como de caimiento y dolor. La puerta, antes abierta a todos de par en par, estaba ahora cerrada.

Las fuerzas de Stein le abandonaron, y cayó medio exánime en un banco de piedra pegado a la pared cerca de la puerta. El delirio de la fiebre turbó su cerebro; parecíale que las olas del mar se le acercaban, cual enormes serpientes, retirándose de pronto, y cubriéndole de blanca y venenosa baba: que la luna le miraba con pálido y atónito semblante: que las estrellas daban vueltas en rededor de él, echándole miradas burlonas. Oía mugidos de toros, y uno de estos animales, salía de detrás de la cruz, y echaba a los pies del calenturiento su pobre perro, privado de la vida. La cruz misma se le acercaba vacilante, como si fuera a caer, y abrumarle bajo su peso. ¡Todo se movía y giraba en rededor del infeliz! Pero en medio de este caos, en que más y más se embrollaban sus ideas, oyó no ya rumores sordos y fantásticos, cual tambores lejanos, como le habían parecido los latidos precipitados de sus arterias, sino un ruido claro y distinto, y que con ningún otro podía confurdirse: el canto de un gallo.

Como si este sonido campestre y doméstico le hubiese restituido de pronto la facultad de pensar y la de moverse, Stein se puso en pie, se encaminó con gran dificultad hacia la puerta, y la golpeó con una piedra; le respondió un ladrido. Hizo otro esfuerzo para repetir su llamada, y cayó al suelo desmayado.

Abrióse la puerta y aparecieron en ella dos personas.

Era una mujer joven, con un candil en la mano, la cual dirigiendo la luz hacia el objeto que divisaba a sus pies, exclamó:

–¡Jesús María! no es Manuel: es un desconocido... ¡Y está muerto! ¡Dios nos asista!

–Socorrámosle –exclamó la otra que era una mujer de edad, vestida con mucho aseo–. Hermano Gabriel, hermano Gabriel –gritó entrando en el patio: venga usted pronto. Aquí hay un infeliz que se está muriendo.

Oyéronse pasos precipitados, aunque pesados. Eran los de un anciano, de no muy alta estatura, cuya faz apacible y cándida indicaba un alma pura y sencilla. Su grotesco vestido consistía en un pantalón y una holgada chupa[2] de sayal pardo, hechos al parecer de un hábito de fraile; calzaba sandalias, y cubría su luciente calva un gorro negro de lana.

–Hermano Gabriel –dijo la anciana–, es preciso socorrer a este hombre.

–Es preciso socorrer a este hombre –contestó el hermano Gabriel.

–¡Por Dios, señora! –exclamó la del candil–. ¿Dónde va usted a poner aquí a un moribundo?

–Hija –respondió la anciana–, si no hay otro lugar en que ponerle, será en mi propia cama.

–¿Y va usted a meterle en casa –repuso la otra–, sin saber siquiera quién es?

–¿Qué importa? –dijo la anciana–. ¿No sabes el refrán: haz bien, y no mires a quien? Vamos: ayúdame, y manos a la obra.

Dolores obedeció con celo y temor a un tiempo.

–Cuando venga Manuel –decía–, quiera Dios que no tengamos alguna desazón.

–¡Tendría que ver! –respondió la buena anciana–, ¡no faltaba más sino que un hijo tuviese que decir a lo que su madre dispone!

Entre los tres llevaron a Stein al cuarto del hermano Gabriel. Con paja fresca y una enorme y lanuda zalea[3] se armó al instante una buena cama. La tía María sacó del arca un par de sábanas no muy finas, pero limpias, y una manta de lana.

Fray Gabriel quiso ceder su almohada, a lo que se opuso la tía María, diciendo que ella tenía dos, y podía muy bien dormir con una sola. Stein no tardó en ser desnudado y metido en la cama.

Entretanto se oían golpes repetidos a la puerta.

–Ahí está Manuel –dijo entonces su mujer–. Venga usted conmigo, madre, que no quiero estar sola con él, cuando vea que hemos entrado en casa a un hombre sin que él lo sepa.

La suegra siguió los pasos de la nuera.

–¡Alabado sea Dios! Buenas noches, madre: buenas noches, mujer –dijo al entrar un hombre alto y de buen talante, que parecía tener de treinta y ocho a cuarenta años, y a quien seguía un muchacho como de unos trece.

---

[2] *chupa:* prenda de vestir que cubría los brazos y el tronco del cuerpo, a veces con una faldilla por debajo de la cintura, aquí hecha de *sayal*, tela de lana de baja calidad.

[3] *zalea:* cuero de oveja curtido.

–Vamos, Momo –añadió–, descarga la burra y llévala a la cuadra. La pobre *Golondrina* no puede con el alma.

Momo llevó a la cocina, punto de reunión de toda la familia, una buena provisión de panes grandes y blancos, unas alforjas y la manta de su padre. En seguida desapareció llevando del diestro[4] a *Golondrina*.

Dolores volvió a cerrar la puerta, y se reunió en la cocina con su marido y con su madre.

–¿Me traes –le dijo–, el jabón y el almidón?

–Aquí viene.

–¿Y mi lino? –preguntó la madre.

–Ganas tuve de no traerlo –respondió Manuel sonriéndose, y entregando a su madre unas madejas.

–¿Y por qué, hijo?

–Es que me acordaba de aquel que iba a la feria, y a quien daban encargos todos sus vecinos. Tráeme un sombrero; tráeme un par de polainas: una prima quería un peine; una tía, chocolate; y a todo esto, nadie le daba un cuarto. Cuando estaba ya montado en la mula, llegó un chiquillo y le dijo: «Aquí tengo dos cuartos para un pito, ¿me lo quiere usted traer?» Y diciendo y haciendo, le puso las monedas en la mano. El hombre se inclinó, tomó el dinero, y le respondió: «¡Tú pitarás!» Y en efecto, volvió de la feria, y de todos los encargos no trajo más que el pito.

–¡Pues está bueno! –repuso la madre–: ¿para quién me paso yo hilando los días y las noches? ¿No es para ti y para tus hijos? ¿Quieres que sea como el sastre del Campillo, que cosía de balde y ponía el hilo?

En este momento se presentó Momo a la puerta de la cocina. Era bajo de cuerpo y rechoncho, alto de hombros, y además tenía la mala maña de subirlos más, con un gesto de desprecio y de *qué se me da a mí*, hasta tocar con ellos sus enormes orejas, anchas como abanicos. Tenía la cabeza abultada, el cabello corto, los labios gruesos. Era además chato y horriblemente bizco.

–Padre –dijo con un gesto de malicia–, en el cuarto del hermano Gabriel hay un hombre acostado.

–¡Un hombre en mi casa! –gritó Manuel saltando de la silla–. Dolores, ¿qué es esto?

----

[4] *del diestro:* tirando del ronzal o riendas de la burra.

–Manuel, es un pobre enfermo. Tu madre ha querido recogerlo. Yo me opuse a ello, pero su merced quiso. ¿Qué había yo de hacer?

–¡Bueno está! pero, aunque sea mi madre, no por eso ha de tener en casa al primero que se presenta.

–No; sino dejarle morir a la puerta, como si fuera un perro –dijo la anciana–. ¿No es eso?

–Pero, madre –repuso Manuel–. ¿Es mi casa algún hospital?

–No; pero es la casa de un cristiano; y si hubieras estado aquí, hubieras hecho lo mismo que yo.

–Que no –respondió Manuel–; le habría puesto encima de la burra, y le habría llevado al lugar; ya que se acabaron los conventos.

–Aquí no teníamos burra ni alma viviente que pudiera hacerse cargo de ese infeliz.

–¡Y si es un ladrón!

–Quien se está muriendo, no roba.

–Y si le da una enfermedad larga, ¿quién la costea?

–Ya han matado una gallina para el caldo –dijo Momo–; yo he visto las plumas en el corral.

–¿Madre, ha perdido usted el sentido? –exclamó Manuel colérico.

–Basta, basta –dijo la madre con voz severa y dignidad–. Caérsete debía la cara de vergüenza de haberte incomodado con tu madre, sólo por haber hecho lo que manda la ley de Dios. Si tu padre viviera, no podría creer que su hijo cerraba la puerta a un infeliz que llegase a ella muriéndose y sin amparo.

Manuel bajó la cabeza, y hubo un rato de silencio general.

–Vaya, madre –dijo en fin–; haga usted cuenta que no he dicho nada. Gobiérnese a su gusto. Ya se sabe que las mujeres se salen siempre con la suya.

Dolores respiró más libremente.

–¡Qué bueno es! –dijo gozosa a su suegra.

–Tú podías dudarlo –respondió ésta sonriendo a su nuera a quien quería mucho, y levantándose para ir a ocupar su puesto a la cabecera del enfermo–. Yo que lo he parido, no lo he dudado nunca.

Al pasar cerca de Momo, le dijo su abuela.

–Ya sabía yo que tenías malas entrañas; pero nunca lo has acreditado tanto como ahora. Anda con Dios; te compadezco: eres malo, y el que es malo, consigo lleva el castigo.

–Las viejas no sirven más que para sermonear –gruñó Momo, echando a su abuela una impaciente y torcida mirada.

Pero apenas había pronunciado la última palabra, cuando su madre que lo había oído, se arrojó a él, y le descargó una bofetada.

–Aprende –le dijo–, a no ser insolente con la madre de tu padre, que es dos veces madre tuya.

Momo se refugió llorando a lo último del corral, y desahogó su coraje dando una paliza al perro.

[...]

Mientras Stein hacía estas reflexiones, vio que Momo salía de la hacienda en dirección al pueblo. Al ver a Stein, le propuso que le acompañase; éste aceptó, y los dos se pusieron en camino en dirección al lugar.

El día estaba tan hermoso, que sólo podía compararse a un diamante de aguas exquisitas, de vivísimo esplendor, y cuyo precio no aminora el más pequeño defecto. El alma y el oído reposaban suavemente en medio del silencio profundo de la naturaleza. En el azul turquí[5] del cielo no se divisaba más que una nubecilla blanca, cuya perezosa inmovilidad la hacía semejante a una odalisca, ceñida de velos de gasa, y muellemente recostada en su otomana azul.

Pronto llegaron a la colina próxima al pueblo, en que estaban la cruz y la capilla.

La subida de la cuesta, aunque corta y poco empinada, había agotado las fuerzas, aún no restablecidas de Stein. Quiso descansar un rato, y se puso a examinar aquel lugar.

Acercóse al cementerio. Estaba tan verde y tan florido como si hubiera querido apartar de la muerte el horror que inspira. Las cruces estaban ceñidas de vistosas enredaderas, en cuyas ramas revoloteaban los pajarillos, cantando: *¡Descansa en paz!* Nadie habría creído que aquella fuese la mansión de los muertos, si en la entrada no se leyese esta inscripción: «CREO EN LA REMISIÓN DE LOS PECADOS EN LA RESURRECCIÓN DE LA CARNE Y EN LA VIDA PERDURABLE. AMÉN.» La capilla era un edificio cuadrado, estrecho y sencillo, cerrado con una reja, y coronada su modesta media naranja[6] por una cruz de hierro. La única entrada era una puertecita inmediata al altar.

....

[5] *turquí* o turquesado: adjetivo derivado de turquesa, piedra azul de procedencia turca. A continuación se compara la nube con una escena de sabor oriental: *odalisca* (concubina turca) tumbada en una *otomana* (sofá turco).

[6] *media naranja:* techo en forma de media naranja, cúpula.

[...]

Las dos paredes laterales estaban cubiertas de exvotos, de arriba a abajo.

Los exvotos son testimonios públicos y auténticos de beneficios recibidos, consignados por el agradecimiento al pie de los altares, unas veces antes de obtener la gracia que se pide; otras se prometen en grandes infortunios y circunstancias apuradas. Allí se ven largas trenzas de cabello, que la hija amante ofreció, como su más precioso tesoro, el día en que su madre fue arrancada a las garras de la muerte; niños de plata colgados de cintas color de rosa, que una madre afligida, al ver a su hijo mortalmente herido, consagró por obtener su alivio al Señor del Socorro; brazos, ojos, piernas de plata o de cera, según las facultades del votante; cuadros de naufragios o de otros grandes peligros, en medio de los cuales los fieles tuvieron la sencillez de creer que sus plegarias podrían ser oídas y otorgadas por la misericordia divina; pues por lo visto las gentes *de alta razón, los ilustrados*[7], *los que dicen ser los más, y se tienen por los mejores* no creen que la oración es un lazo entre Dios y el hombre. Estos cuadros no eran obras maestras del arte; pero quizá si lo fueran, perderían su fisonomía, y sobre todo, su candor. ¡Y hay todavía personas que, presumiendo hallarse dotadas de un mérito superior, cierran sus almas a las dulces impresiones del candor, que es la inocencia y la serenidad del alma! ¿Acaso ignoran que el candor se va perdiendo, al paso que el entusiasmo se apaga? Conservad, españoles, y respetad los débiles vestigios que quedan de cosas tan santas como inestimables. No imitéis al mar Muerto, que mata con sus exhalaciones los pájaros que vuelan sobre sus olas, ni como él, sequéis las raíces de los árboles, a cuya sombra han vivido felices muchos países y tantas generaciones.

Entre los exvotos había uno que por su singularidad causó muchas extrañezas a Stein. La mesa del altar no era perfectamente cuadrada desde arriba abajo, sino que se estrechaba en línea curva hacia el pie. Entre su base y el enladrillado había un pequeño espacio. Stein percibió allí en la oscuridad un objeto apoyado contra la pared; y a fuerza de fijar en él sus miradas, vino a distinguir que era un trabuco. Tal vez era su volumen, y tal debía ser su peso, que no podía entenderse como un hombre podía manejarlo: lo mismo que sucede cuando miramos las armaduras de la edad media. Su boca era tan grande que podía entrar holgadamente por ella una naranja. Estaba roto, y sus diversas partes toscamente atadas con cuerdas.

---

[7] La autora reacciona contra la mentalidad laica de la Ilustración.

–Momo –dijo Stein–, ¿qué significa eso? ¿Es de veras un trabuco?

–Me parece –dijo Momo–, que bien a la vista está.

–Pero, ¿por qué se pone un arma homicida en este lugar pacífico y santo? En verdad que aquí puede decirse aquello de que pega como un par de pistolas a un Santo Cristo.

–Pero ya ve usted –respondió Momo–, que no está en manos del Señor, sino a sus pies, como ofrenda. El día en que se trajo aquí ese trabuco (que hace muchísimos años) fue el mismo en que se le puso a ese Cristo el nombre del Señor del Socorro.

–Y ¿con qué motivo? –preguntó Stein.

–Don Federico –dijo Momo abriendo tantos ojos–, todo el mundo sabe eso. ¡Y usted no lo sabe!

–¿Has olvidado que soy forastero? –replicó Stein.

–Es verdad –repuso Momo–; pues se lo diré a su merced. Hubo en esta tierra un salteador de caminos, que no se contentaba con robar a la gente, sino que mataba a los hombres como moscas, o porque no le delatasen, o por antojo. Un día, dos hermanos vecinos de aquí, tuvieron que hacer un viaje. Todo el pueblo fue a despedirlos, deseándoles que no topasen con aquel forajido que no perdonaba vida, y tenía atemorizado al mundo. Pero ellos, que eran buenos cristianos, se encomendaron a este Señor, y salieron confiando en su amparo. Al emparejar con un olivar, se echaron en cara al ladrón, que les salía al encuentro con su trabuco en la mano. Echóselo al pecho, y les apuntó. En aquel trance se arrodillaron los hermanos clamando al Cristo: «¡Socorro, Señor!» El desalmado disparó el trabuco, pero quien quedó alma del otro mundo fue él mismo, porque quiso Dios que en las manos se le reventase el trabuco. ¡Y el trabuquillo era flojo en gracia de Dios! Ya lo está usted mirando; porque en memoria del milagroso socorro, lo ataron con esas cuerdas, y lo depositaron aquí, y al Señor se le quedó la advocación del Socorro. ¿Con que no lo sabía usted, don Federico?

–No lo sabía, Momo –respondió éste, y añadió como respondiendo a sus propias reflexiones–, ¡si tú supieras cuánto ignoran aquellos que dicen que se lo saben todo!

[...]

Stein, Momo y Manuel llegaron al mismo tiempo por diversos puntos. El último venía de rondar la hacienda, en ejercicio de sus funciones de guarda; traía en una mano la escopeta y en otra tres perdices y dos conejos.

Los muchachos corrieron hacia Momo, quien de un golpe vació las alforjas, y de ellas salieron, como de un cuerno de la Abundancia[8], largas cáfilas[9] de frutas de invierno, con las que se suele festejar en España la víspera de Todos Santos: nueces, castañas, granadas, batatas, etc.

–Si *Marisalada* nos trajera mañana algún pescado –dijo la mayor de las muchachas–, tendríamos *jolgorio*.

–Mañana –repuso la abuela–, es día de Todos Santos; seguramente no saldrá a pescar el tío Pedro.

–Pues bien –dijo la chiquilla–, será pasado mañana.

–Tampoco se pesca el día de los Difuntos.

–¿Y por qué? –preguntó la niña.

–Porque sería profanar un día que la Iglesia consagra a las ánimas benditas: la prueba es que unos pescadores que fueron a pescar tal día como pasado mañana, cuando fueron a sacar las redes, se alegraron al sentir que pesaban mucho; pero en lugar de pescado, no había dentro más que calaveras. ¿No es verdad lo que digo, hermano Gabriel?

–¡Por supuesto! yo no lo he visto; pero como si lo hubiera visto –dijo el hermano.

–¿Y por esos nos hacéis rezar tanto el día de Difuntos a la hora del Rosario? –preguntó la niña.

–Por eso mismo –respondió la abuela–. Es una costumbre santa, y Dios no quiere que la descuidemos. En prueba de ello, voy a contaros un ejemplo. Érase una vez un obispo, que no tenía mucho empeño en esta piadosa práctica, y no exhortaba a los fieles a ella. Una noche soñó que veía un abismo espantoso, y en su orilla había un ángel, que con una cadena de rosas blancas y encarnadas, sacaba de adentro a una mujer hermosa, desgreñada y llorosa. Cuando se vio fuera de aquellas tinieblas, la mujer, cubierta de resplandor, echó a volar hacia el cielo. Al día siguiente el obispo quiso tener una explicación del sueño, y pidió a Dios que le iluminase. Fuese a la iglesia, y lo primero que vieron sus ojos fue un niño hincado de rodillas, y rezando el rosario sobre la sepultura de su madre.

–¿Acaso no sabías eso, chiquilla? –decía Pepa a su hermana–. Pues mira tú que había un zagalillo que era un bendito y muy amigo de

---

[8] *cuerno de la Abundancia:* cornucopia o vaso en forma de cuerno rebosante de frutos que representa la abundancia.

[9] *cáfila:* conjunto o multitud.

rezar: había también en el Purgatorio un alma más deseosa de ver a Dios que ninguna. Y viendo al zagalillo rezar tan de corazón, se fue a él y le dijo: «¿Me das lo que has rezado?» «Tómalo» dijo el muchacho; y el alma se lo presentó a Dios, y entró en la gloria de sopetón. ¡Mira tú si sirve el rezo para con Dios!

–Ciertamente –dijo Manuel–, no hay cosa más justa que pedir a Dios por los difuntos; y yo me acuerdo de un cofrade de las ánimas, que estaba una vez pidiendo por ellas a la puerta de una capilla y diciendo a gritos: «El que eche una peseta a esta bandeja, saca un alma del Purgatorio.» Pasó un chusco, y habiendo echado la peseta preguntó: «Diga usted, hermano, ¿cree usted que ya está el alma fuera?» «Qué duda tiene» repuso el hermano. «Pues entonces –dijo el otro–, recojo mi peseta, que no será tan boba ella que se vuelva a entrar.»

–Bien puede usted asegurar, don Federico –dijo la tía María–, que no hay asunto para el cual no tenga mi hijo, venga a pelo o no venga, un cuento, chascarrillo o cuchufleta.

[...]

JOSÉ MARÍA DE PEREDA
(1833-1906)

Nacido en Polanco (Santander), fue el hijo número
veintiuno de una familia hidalga de la Montaña, lugar donde
permaneció casi toda su vida.
Inició su carrera literaria en el costumbrismo, reflejando
escenas y tipos de su tierra natal. En la década de los 70
cultiva la novela de tesis, defendiendo los valores tradicionales
y religiosos en obras como *El buey suelto, Don Gonzalo
González de la Gonzalera* y *De tal palo tal astilla.*
Con la publicación de *El sabor de la tierruca* en 1882 abandona
la defensa apasionada de las ideas (aunque siempre perviva
en él el enfoque conservador) e inicia una nueva fase,
en que escribe una novela regionalista realista,
ya que da entrada a magníficas escenas del mar
y la montaña cántabra, en obras como *Sotileza, Nubes de estío*
y *Peñas arriba.*

José María de Pereda.

DE TAL PALO TAL ASTILLA
(1880)

*El esquema de esta novela se concibe como la confrontación ideoló-
gica de dos familias, puesta de manifiesto por el amor de sus hijos.
La oposición se subraya mediante el tratamiento alternativo
que lleva a cabo el autor: describe escenas o narra episodios
de cada una de ellas por separado y dedica otros capítulos
al enfrentamiento verbal de los protagonistas Águeda y Fernando,
que no consiguen encarrilar su mutuo amor.
Además hay otros episodios secundarios que condicionan el
hilo fundamental de la trama y crean una atmósfera que aumenta
progresivamente en tensión.*

La raza

Decían las gentes de Perojales que los Peñarrubia eran como
los vencejos: aparecía uno, arreglaba el nido, formaba una familia y de-
saparecía con ella, sin saberse adónde ni por qué. Al cabo de los tiempos, volvía un nuevo Peñarrubia, restauraba el caserón de abolengo y
etc. Así hasta nuestro doctor.

Todos los de Peñarrubia, según la tradición perojaleña, parecían fundidos en un mismo troquel. Todos eran misteriosos, huraños,
poco afectos a la tierra nativa, y señaladamente irreligiosos. Esa cualidad era la que podía llamarse, como ninguna de las otras, el sello de ra-
za. De manera que no tenían número las horrendas historias y los pavo-
rosos relatos que, a propósito de la insigne familia, pasaban de padres a
hijos entre el vulgo del país, gente sencilla y cristiana y, por contera[1],
suspicaz y maliciosa.

Apenas hay aldea en la Montaña que no tenga su *Casa*[2] correspondiente; casa infanzona y de prosapia, no siempre rica, pero muy a
menudo tan rica como empingorotada. Esa casa pertenece al pueblo,
como el *son* de las campanas de la iglesia, como la fama de ciertos frutos peculiares a su suelo, la de la altura del monte comunal o la de las
truchas del río; y no porque provee de pan a los menesterosos, de con-

---

[1] *por contera:* para remate, por último.

[2] *Casa:* referida a la casa por excelencia, a la mejor de la aldea, es decir a la de linaje
antiguo y noble. Se trata de una nobleza rural: los infanzones.

sejos a los atribulados, de cartas a los que se van, de padrinos a casi todos los recién nacidos, y hasta de materia de difamación a los ingratos y malévolos, sino por cuestión de vanidad. Que diga un montañés: «¡Los Cuales de mi pueblo! Gran casa, gente de lustre, de mucha hacienda y de buena entraña.» No faltará quien replique, royendo la colilla y echándose sobre el palo: «No diré que no; pero ¡cuidado con los Tales de mi lugar! Nada les debo, la verdad sea dicha; pero sin ofensa de nadie, donde está esa casa, que no alce ninguna chimenea. En punto a posibles y señoríos, reyes pueden entroncar con ella, y saldrán muy honrados.»

Pues Perojales es la excepción de esta regla. «¡Los Peñarrubia! –dicen allí–. ¡El demonio que cargue con todos ellos! Ni un canto les deben estas callejas, ni un maquilero de borona[3] los necesitados, ni una cabezada el nombre de Dios, ni los buenos días los hombres de bien. Si ese palación se arrasara, los males de este lugar daban fin y remate.»

Sobre lo que haya de disculpable en este deseo, y de cierto en los corrientes relatos, no he de hablar yo aquí una palabra. Mi jurisdicción no alcanza más allá de los Peñarrubia de mi cuento, y de ellos voy a tratar sin nuevas digresiones.

El padre del doctor a quien conocemos llegó al caserón solariego en lo más crudo de una invernada que dejó nombre en los fastos montañeses. Acompañábanle su señora, muy próxima a dar a luz el primer fruto de su matrimonio, un médico viejo y la necesaria servidumbre. Según unos, venían de las Indias; según otros, del infierno; y esta opinión fue la más aceptada, teniéndose en cuenta que los señores entraron en el pueblo entre rayos y centellas, y pisando una capa de nieve de media vara de espesor.

A los pocos días llamó el señor al párroco para advertirle que por la tarde enviaría su hijo primogénito, recién nacido, para que le bautizara. Serían padrinos el médico de la familia y la Iglesia. Se le pondrían los nombres de Augusto, César, Juan, Jacobo y Martín.

Así se hizo. Una sirviente llevó el niño debajo del chal, y el médico le acompañó. Pagó éste los seis reales justos de derechos del cura, y dio cuatro cuartos a los muchachos ayudantes. Sentóse la partida de bautismo en los libros parroquiales; recogió el padrino una certificación de ella; pagóla según rezaba el arancel, ni ochavo más ni ochavo menos, y agur del alma[4].

_____

[3] *maquilero*: pequeña cantidad de grano o de harina, en este caso de maíz, ya que *borona* es el maíz y el pan hecho con la harina de este cereal.

[4] *agur del alma*: adiós.

Mientras la señora se reponía, su marido, como si en ello cumpliera un precepto tradicional en los de su casta, hizo algunas reparaciones en las entrañas del caserón, no costosas ni de buena gana; y transcurrido un mes, desapareció la familia Peñarrubia con todos sus sirvientes y adherentes, cerrando los portones, que no habían de volver a abrirse en muchos años.

Nuevos comentarios: si se los llevó el demonio, o si se fueron a ejercer por el mundo sus malas artes. A mí me toca poner en claro la duda.

[...]

Cuando dejó su casa solariega, volvió a Madrid. Allí se estableció definitiva y ostentosamente, a expensas de lo propio y de lo aportado al matrimonio por la mejicana. A decir verdad, las rentas de todo ello no alcanzaban a sostener el lujo de que se rodeó el vanidoso Peñarrubia; y hubo que comer de la olla[5] grande, como dicen en mi tierra.

En medio de este fausto corrieron los primeros años de la vida de nuestro doctor.

Como la mejicana era devota, cuidaba de enseñar al rapazuelo piadosas leyendas y muchas oraciones; mandábale a la iglesia, y le cargaba de medallas y escapularios. Pero como también era indolente, no hacía maldito el caso de la doctrina que le imbuían el cochero, el ayuda de cámara, los marmitones y toda la legión de tunos que pululaban en aquella casa al amparo de la vanidad de su marido y de su propia dejadez.

Corrieron cinco años más, y con ellos lo mejor del caudal de la mejicana, que acabó por morirse, sin poder incomodarse con los despilfarros de su marido y las crecientes rebeldías del primogénito, muchacho, a la sazón, de diez años, sin conocer todavía la O, aunque le sobraba despejo natural.

No sé si por el bien de éste o por librarse su padre del único cuidado que sobre sí tenía, púsole bajo la férula de un instructor de su gusto, con encargo de que, por de pronto, le domara, y después le enseñara lo que mejor le pareciese, ajustándose en lo posible a las inclinaciones libérrimas del educando[6].

Pronto conoció el joven Peñarrubia que eran inútiles sus protestas contra la esclavitud a que se le había sometido. Hallábase como

---

[5] *olla:* cocido preparado con carne, tocino, legumbres y hortalizas; era en España el plato principal de la comida diaria.

[6] *inclinaciones libérrimas del educando*: las preferencias del alumno.

potro cerril, entre la espuela del padre y el freno del preceptor, y bajo el peso de cinco asignaturas. No podía moverse sin sentir, o el hierro que le espoleaba, o el hierro que le detenía. Resolvióse a llevar la carga del mejor modo posible, y acabó por aficionarse a ella. Estaba domado, y se le puso en libertad completa. Así pudo tomar en el campo de la enseñanza el rumbo más de su agrado.

Dicho se está con ello que se lanzó, con los bríos de la juventud, a lo nuevo y a lo cómodo, poniendo todo su empeño en romper trabas, en salvar obstáculos a la carrera y en desembarazar de estorbos a su razón y a sus pasiones, que se llevaban como la uña y la carne, aunque a él no le parecía así. Talento investigador y práctico, diose a las ciencias físicas, y comenzó a escarbar en todas, atento sólo, como trapero en su oficio, a acumular en el cesto de su memoria cuanto coloreaba y relucía, lo mismo el trapo sucio, que el metal sospechoso, que el oro fino.

Con este acopio en las alforjas, sin escogerle ni depurarle, ingresó en la escuela de Medicina, adonde le llamaban sus aficiones, y no tardó en distinguirse entre todos sus camaradas de carrera por sus atrevimientos científicos, con más que puntas y ribetes de materialistas. Por entonces le asaltaron las mientes los recuerdos de aquellos poéticos relatos de su madre sobre la vida futura y los milagros de la fe, cosas tan opuestas a las *verdades* que el dedo de la ciencia le iba señalando en las páginas que devoraba con creciente avidez;

[...]

y se entregó por entero a la manía que a la sazón le subyugaba en el terreno de sus investigaciones. Esta manía era buscar el alma, o el punto de su residencia, o siquiera sus huellas, en el cuerpo humano; y no, ciertamente, porque le atormentase la sospecha de que en el suyo no la había, sino por tener la científica satisfacción de exclamar a la postre de sus ímprobas tareas: «¿Ven ustedes cómo todo esto es materia pura?» «¿Se convencen ustedes de que el hombre no es otra cosa que una bestia, con mejor instinto que otras, por obra y gracia de un poco más de fósforo en la mollera?» Por eso no salía del anfiteatro[7]; y allí cortaba, rajaba, pesaba y medía en los cadáveres de sus congéneres, como el ambicioso minero en las entrañas de la tierra, buscando el filón perdido; y luego compraba gatos y perros, y los hacía añicos con el

---

[7] *anfiteatro:* en los hospitales y otros edificios, lugar destinado a la disección de cadáveres.

bisturí, y cotejaba sus organismos con el del hombre para convencerse de que entre el uno y los otros no cabía el canto de una peseta.

Cada conquista que el estudiante hacía en estas regiones la aseguraba en su razón con el dictamen del sabio más de su agrado; y así reunió en poco tiempo un caudal inapreciable de atrevidas negaciones, que le crearon una fama ruidosísima en aulas, ateneos y casinos[8].

[...]

A las cuales voces cerraba Peñarrubia los oídos, y saltaba por encima del obstáculo, no pudiendo separarle, y continuaba caminando sin volver los ojos atrás, para forjarse la ilusión de que no había en toda la senda un solo guijarro en que tropezar.

Libre, pues, de lo que llamaba el flamante doctor la *tiranía del dogma,* y con una naturaleza agradecida y saludable, –Veamos –se dijo un día– lo que dura un cuerpo bien tratado.

Y con estos propósitos, estas ideas y aquellos laureles, comenzó Peñarrubia a ejercer su profesión.

En breve le sobraron los quehaceres que ésta le daba, pues a lo popular de su nombre, por los citados motivos, uníase la circunstancia, y no fuera justo callarla, de que en el arte de curar pocos le igualaban y no le aventajaba ninguno. Pudo elegir, entre lo mucho, lo mejor, y se hizo médico de ricos. Pocas visitas y bien retribuidas; y como tenía *cosas* también, porque su carácter era abierto, desengañado y hasta zumbón, logró en muy pocos años que los enfermos le visitaran a él, siempre que les fuera posible y, por de contado, no pasar una mala noche, aunque le llamaran para asistir al Preste Juan de las Indias.

[...]

La única mujer que lo esclavizó un tanto fue una viuda joven, a quien asistió durante una larga aunque no grave enfermedad. Era afable, ingeniosa y muy linda; dejóse arrastrar dulcemente hacia ella; y sin que pueda decirse quién amansó a quién, la viuda reclamó un día un nombre para el primer fruto, ya en flor, de sus mutuas simpatías de puro entretenimiento; pero no era hombre de malas entrañas y, en buena justicia, la reclamación de la viuda era pertinentísima. Declarólo así, y

---

[8] *ateneos, casinos*: lugares de gran importancia en la época para difundir y debatir ideas políticas, literarias y científicas.

amparó a la querellante con su nombre, llevándosela a su casa después de formalizado el matrimonio.

No fue la cruz de ésta muy pesada para el doctor, pues con toda su ciencia, no logró averiguar si fue viudo antes que padre: ¡tan unidos anduvieron el suceso feliz y el desgraciado!

Lo que vino al mundo al salir de él la infortunada compañera de Peñarrubia fue un niño, a quien se puso el nombre de Fernando. Una alcarreña le amamantó; luego le zagaleó un muchacho, y un mozo de pelo en pecho le acompañó en sus juegos y travesuras. Su padre le curaba las indigestiones y le prescribía el régimen que más le convenía para ser robusto y fuerte; y como a la edad en que a otros niños se les enseñaba el «¿quién es Dios?», ya estaba él cansado de *saber* que no existía, no tuvo que preocuparse lo más mínimo de *esas cosas* que cuentan a los rapaces las dueñas *impertinentes* y las madres *aprensivas*[9].

El ejemplo del padre forma el modo de ser de los hijos; lo que éstos ven siendo niños, en el hogar, eso hacen en el mundo cuando hombres; porque lo que piensa, lo que dice y lo que hace un padre, siempre es lo mejor en concepto del hijo que a su lado crece, mayormente si lo que piensa, lo que dice y lo que hace el uno halaga los instintos irreflexivos del otro.

Quiero decir que al modelo de su padre se ajustó Fernando cuando llegó la hora de dejar de ser niño y comenzar a ser hombre, con la ventaja de haber pasado éste como una seda por angosturas en que aquél se vio a punto de salir desollado. Y así tenía que suceder, por la lógica irresistible de los hechos. En el doctor germinaban de vez en cuando, entre los recuerdos de su infancia, las enseñanzas de su madre; en la memoria de Fernando no había semillas de esa especie: nada podía brotar allí en daño de otro cultivo; lo que en el padre fueron dudas, en el hijo, negaciones terminantes. Éste tomó las cosas donde y como y el otro las dejó hechas, no sin fatigas ni desvelos. El padre construyó la senda; el hijo no tuvo más que caminar sobre ella. Hallábase en aquel terreno como el pez en el agua, convencido de que en otro elemento no se podía vivir. Como no tuvo dudas, no estudió las cuestiones más que por una cara: la de sus simpatías; y así, sin obstáculos ni contradicciones que le detuvieran, antes bien, aguijoneado por el estímulo de los aplausos que nunca faltan a los atrevidos, si por contera son *brillantes*, como Fernando, llegó éste a ser en Madrid una de las glorias militares de la secta que preparó en España el actual desbarajus-

---

[9] Por medio de la cursiva el autor hace patente que esas ideas no son suyas, sino del doctor Peñarrubia.

tado filosofismo[10] que tanta saliva ha costado y ha de costar, sin que sus propios adeptos se convenzan de que bien pudiera estudiarse a fondo lo de casa antes de proclamar como inconcluso lo de fuera. Pero es achaque muy viejo en el libre examen al empeño de contradecirse, no examinando sino la de su gusto.

Una cuestión de etiqueta separó al doctor Peñarrubia del cuerpo profesional a que pertenecía en la Escuela; otro asunto de parecido género, relacionado con ella, fue causa de que se decidiera a ahorcar los libros y retirarse a vivir tranquilamente a expensas de lo ahorrado.

[...]

Pocos meses después, y bien pertrechado de cuanto un hombre de sus necesidades podía apetecer en la soledad, se estableció en la Montaña con el firme propósito de no salir de ella jamás.

Desde aquel rincón del mundo fue siguiendo paso a paso los de su hijo en la carrera que éste emprendió al dar él por terminada la suya. ¡Con qué ansia aguardaba en cada año el verano para abrazar al estudiante y tenerle algunos meses a su lado! Desde que había arrojado de sí el amor a la gloria, todo su corazón le ocupaba Fernando. ¡Con qué avidez observó las primeras evoluciones de su talento en el espacio de las ideas! ¡Con qué orgullo le veía más tarde batir las alas y cernirse descuidado en la región de las tempestades!

Águeda

La casa [...] es de las más próximas a la sierra. Como la mayor parte de las solariegas de la Montaña, sólo en dos fachadas tiene balcones: al oriente y al mediodía. La corralada, de que también hemos hablado, está delante de esta fachada; la del oriente cae sobre un jardín separado de la vía pública por un enverjado que arranca de la pared del corral y se une por el otro extremo a un muro que, después de describir una curva extensísima, va a soldarse con el otro costado de la portalada, dejando encerrado un vasto parque en que abunda, con inteligente distribución, lo útil y lo agradable.

Dentro de esta casa no se busque el muelle lujo de la ciudad. Holgura, comodidad, abundancia, buen gusto y primores de limpieza,

---

[10] *filosofismo:* falsa filosofía.

eso sí. Durante el feliz matrimonio de la última de los Rubárcenas con el señor de Quincevillas se hicieron en ella notables reformas, procurándose hermanar en lo posible las reliquias de antaño y las exigencias de las necesidades modernas. Son muy venerables los techos de madera, las camas de alto testero y los bancos de encina con tallado espaldar; pero son mucho más cómodos los cielos rasos, las camas metálicas, con jergón de muelles y los sillones tapizados, siempre que se trata de dormir y de sentarse. Cuando se fundó aquella casa, todo el lujo de *clase* consistía, después de los indispensables blasones esculpidos en piedra sobre el centro de la *solana*, en una portalada de sillería con adornos y remates de escultura, costoso marco en que encajaban dos portones macizos atestados de clavos de altísima cabeza, para dar ingreso a un corral, obstruido ordinariamente por el acopio de leña para largos meses, un carro de labranza, un horno de pan, el brocal de un pozo con su correspondiente pila, y a menudo un montón de estiércol, amén del perro y las gallinas, cuando no los conejos. Esto al mediodía, en lugar preferente. El huerto, pequeño y sombrado por elevadas tapias, como cosa indigna de verse, estaba relegado a la fachada del norte, es decir, al frío y a la oscuridad. Sin embargo, era otro detalle *de clase,* por lo cual se cargaba el despilfarro y la fachenda[11] en las tapias que se veían, importando dos cominos que la fruta y las legumbres fueran pocas y malas.

Así estaba aún la casa de los Rubárcenas cuando unió sus blasones a los de los Quincevillas. El avisado matrimonio comprendió que se podía mejorar aquello sin ofensa de la tradición; y fue su primer acuerdo dejar la portada como la hallaron, por lo que tenía de vieja y, sobre todo, de monumental: pero quitaron el horno y trasladaron los demás estorbos del corral a una casita de labranza, construida a este propósito en terreno que abundaba al otro lado de la casa solariega. El tal terreno fue creciendo en extensión en virtud de compras y cambios hechos por don Dámaso, muy aficionado a estas cosas, que son la salsa de la vida campestre. *Redondeada* la finca, comenzaron las roturaciones, los plantíos y las siembras y, por último, se cercó a cal y canto, en la cual tarea, como nos dijo don Lesmes, sorprendió la muerte al señor de Quincevillas. El jardín fue proyecto de su mujer, y en su ejecución no intervino poco el buen gusto de Águeda, aunque era a la sazón una niña.

Así andaba en aquella casa, por fuera y por dentro, mezclada la tradición venerable con los estilos del día, como anda en todas las solariegas de la Montaña, que no han acabado *en punta*[12], o no se han vis-

---

[11] *fachenda:* vanidad, ostentación.
[12] *acabar en punta:* tener un final brusco o inesperado.

to abandonadas por sus señores, más acomodados al bullicio de la ciudad que al silencioso apartamiento de la aldea.

Cuentan los viejos de Valdecines que por aquel entonces la señora de Quincevillas tenía que ver[13]. A creerlos, reinas la vestían y emperatrices la peinaban, no por el lujo, que nunca fue tentada de él, sino por el modo; el sol y la luna llevaba pintados en sus ojos negros; y no parecía sino que los mismos ángeles le plegaban los labios cuando sonreía. Su pelo era más fino y más negro que la seda; el cutis, como nieve entre rosas, y torneros de la gloria debieron de hacer aquel cuerpo gallardo que, al andar, se mecía como el dorado mimbre al blando soplo del terral de la aurora.

Y no digo lo que se refiere de su caridad sin límites, de su amor a los pobres y de su despego de las pompas mundanas, porque sería el cuento de nunca acabar; y callo lo que se ensalza la especie de veneración que sentía por su marido, tan digno de semejante mujer, por sus altas prendas y señaladísimas virtudes; y lo que se pondera su piedad edificante, sin extremos ni gazmoñería; y, por último, lo que se regocijaba su alma en la contemplación de la hija con que Dios había querido estrechar más los lazos de aquel venturoso matrimonio, porque lo uno se adivina fácilmente, y de lo otro voy a hablar yo por mi propia cuenta.

Cierto, certísimo, que la última de los Rubárcenas tenía mucho talento, y evidente y comprobado que no le mostró jamás elevándose a las cumbres de la filosofía, ni a otras alturas en que las mujeres se hacen ridículas, y se marean muy a menudo los hombres, sino bajándose a los prosaicos pormenores de la vida doméstica. Tengo para mí que es más difícil dirigir una familia sin que ninguno de sus miembros se extravíe, o la discordia arroje de vez en cuando en medio del grupo su manzana, que gobernar un Estado. La señora de Quincevillas fue un modelo admirable en aquel empeño. Ayudáronla en él su fe cristiana, ante todo; es decir, la luz y la fuerza para conocer y cumplir sin desmayo los altísimos deberes de su cargo, como esposa y como madre; y, en segundo término, el rico caudal de conocimientos, a cual más útil en los ordinarios sucesos de la vida íntima, adquirido en germen durante su estancia en el colegio y profusamente desarrollado más tarde por la virtud de su rara inteligencia.

La educación de Águeda, la formación de aquel hermoso carácter de que ya hemos oído hablar, fue la grande obra de su vida, tarea en que, de ordinario, tantos desvelos se malograron por falta de tacto. Cera es la infancia, que así se deshace con el calor excesivo, como se en-

---

[13] *tenía que ver:* tenía cosas que merecían verse, es decir, era hermosa y elegante.

durece con el frío extremado. Conservarla en el grado preciso para que pueda tomar la forma deseada, sin que se quiebre o se deshaga entre las manos, es el misterio del arte de la educación. Con este tino consiguió la discreta señora dirigir a su gusto el corazón y la inteligencia de su hija hasta formarla por completo a su semejanza. Verdad que se prestaba a ello la dócil masa de la despierta niña; pero en esa misma docilidad estaba el riesgo cabalmente.

Que esta educación se fundó sobre los cimientos de la ley de Dios, sin salvedades acomodaticias ni comentarios sutiles, se deduce de lo que sabemos de la maestra, aunque está de más afirmarlo tratándose de una ilustre casa de la Montaña, todas ellas, como las más humildes, regidas por la misma ley inalterada e inalterable. En lo que se distinguió esta madre de otras muchas madres en casos idénticos, fue en su empeño resuelto de explicar a su hija la razón de las cosas para acostumbrarla, en lo de tejas arriba, a considerar las prácticas, no como deberes penosos y maquinales, sino como lazos de unión entre Dios y sus criaturas; a tomarlas como una grata necesidad del espíritu, no siempre y a todas horas como una mortificación de la carne rebelde. De este modo, es decir, con la fuerza del convencimiento racional, arraigó sus creencias en el corazón. Así es la fe de los mártires; heroica, invencible, pero risueña y atractiva; ciega, en cuanto a sus misterios, no en cuanto a la razón de que éstos sean impenetrables y creíbles. Es de gran monta esta distinción que no quiere profundizar la malicia heterodoxa, y de que tampoco sabe darse clara cuenta la ortodoxia *a puño cerrado*.

Por un procedimiento análogo, es decir, estimulando la natural curiosidad de los niños, consiguió doña Marta inclinar la de su hija, en lo de puro adorno y cultura mundana, al lado conveniente a sus propósitos; y una vez en aquel terreno, la condujo con suma facilidad desde el esbozo de las ideas al conocimiento de las cosas. Libros bien escogidos y muy adecuados la ayudaban en tan delicada tarea; al cabo de la cual, Águeda halló su corazón y su inteligencia dispuestos al sentimiento y a la percepción, único propósito de su madre, pues no quería ésta a su hija erudita, sino discreta; no espigaba la mies, preparaba el terreno y le ponía en condiciones de producir copiosos frutos, sanos y nutritivos, depositando en él buena semilla.

Algunos viajes hechos por Águeda, oportunamente dispuestos por su madre, la permitieron comparar, a su modo, la idea que tenía formada del mundo con la realidad de él; y como ya para entonces la previsora maestra la había enseñado a leer en las extensas páginas del hermoso suelo patrio, convencióse la perspicaz educanda de que *dice* mucho menos la ciudad con sus estruendos, que la agreste naturaleza con su meditabunda tranquilidad. No exageraba su madre cuando la aseguraba, con un famoso novelista, que en todo paisaje hay ideas. ¡Cuántas encontraba Águeda entre los horizontes de su lindo valle!

Y he aquí de qué manera consiguió doña Marta arraigar en su hija el amor al suelo nativo, otro de sus intentos más meditados, por juzgar el caso de suma trascendencia.

Concluida la educación de Águeda, comenzó su madre la de su otra hija, venida al mundo diez años después que aquélla; y en los tanteos andaba, no más, de la candorosa y rudimentaria inteligencia de la niña, cuando la muerte asaltó la risueña morada de aquel venturoso grupo, hiriendo a la figura que más descollaba en él y mayor espacio ocupaba en el hogar[14].

Águeda sepultó en su pecho el dolor propio para mitigar, en lo posible, el que, de hora en hora, se imponía con creciente fuerza a la virtud de su madre. Remplazóla en las más indispensables atenciones domésticas, por de pronto. Animóse con el ensayo; en otra tentativa echó sobre sí el peso de mayores cuidados; y cuando se cargó con todos ellos, la atribulada madre, como si hubiera estado esperando aquel resultado de una prueba intentada, se abandonó por completo a sus meditaciones y tristezas. Pronto se reflejaron en su cuerpo los dolores de su alma; y de aquella matrona gentil y apuesta, en que todo era escultural y hermoso, fueron desapareciendo la tersura y la redondez de las formas, como si el luto que vestía fuera una cruz de hierro con espinas; comenzaron a encanecer sus cabellos, y estampó en su rostro todas sus huellas tristes la negra melancolía. Acrecentóse en ella el fervor religioso, y se entregó a la vida mística y de mortificaciones.

Águeda contaba entonces dieciocho años, y puede decirse que se hallaba ya en la plenitud de su desarrollo y de su hermosura. Tenía de su madre, en los buenos tiempos de ésta, los contornos artísticos y graciosos, la corrección de facciones y la arrogancia del conjunto; pero era rubia con ojos azules muy oscuros, con larguísimas pestañas, casi negras, detalle que daba a su mirada dulce una extraordinaria intensidad.

De su natural gracejo y de las penas sentidas por el estado de su madre, se había formado un carácter entre abierto y reflexivo, que era su mayor encanto; mezcla peregrina de candor y de madurez, ostentaba todo el brillo de la mujer discreta, sin la insufrible impertinencia de la joven resabida. Naturaleza exuberante y poderosa, había resistido el influjo de las tristezas del hogar en una época de la vida en que ésta es el reflejo de cuanto la rodea: y consiguió tal victoria buscando

---

[14] Se refiere a la muerte del padre.

fuerzas en la misma necesidad, que la obligaba a trabajar sin descanso como madre afanosa, sin dejar de ser niña.

La espina de Águeda

[...] abajo, cerca de la portalada, se apeaba un personaje, no desconocido para el lector, y entregaba el caballo a Macabeo, que le había visto llegar y tenido el estribo.

Y decía Macabeo:

–Ya extrañaba yo que, hallándose usted en la tierruca, no se diera una vuelta por acá a rendir su homenaje correspondiente a la pobre señorita... Porque, hablando en punto de verdad, ¡qué caráspitis!, si en vida de la señora, que en paz descanse, hubo entre ustedes sus dares y tomares, nunca mejor ocasión que ésta para echar pelillos a la mar; y nada tiene que ver el que las gentes no congenien, con venir a limpiar las lágrimas de los que lloran por los muertos: la caridad de Dios lo manda y el mesmo corazón lo pide. ¿No es verdad, don Fernando?

Y respondía Fernando, no muy entonado ni seguro de voz, algo receloso de mirada y bastante desconcertado de ademanes, como quien va a cometer una empresa muy arriesgada:

–¿Y qué motivos tienes tú, buen Macabeo, para asegurar que entre esta familia y yo hubo alguna vez esos dares y tomares de que hablas?

–Motivos, por decir motivos, señor don Fernando, no los tengo mayormente; pero ya sabe usted lo que es la gente: cuando ve que uno menudea el trato con otro, y luego se entera de que el trato no sigue, se vuelve tarumba buscando el porqué de la cosa; y muy a menudo da lo que presume por lo que no encuentra. Bien pudiera suceder en lo presente algo de esto; y si sucede, que no valga lo dicho, y salud nos dé Dios.

[...]

Como a Fernando le devoraba la inquietud, cortó aquí la narración de Macabeo.

–Muy bien está –le dijo– todo eso que me refieres; pero adviérte que deseo saludar cuanto antes a la señora, y dime si podré hacerlo.

–¡Eso no se pregunta, señor don Fernando!... Digo, paréceme a mí, salvo tropiezo que no barrunto a la presente...

–Pues recoge mi caballo... y hasta luego.

Hízolo así Macabeo; y mientras le llevaba de las riendas a la cuadra, Fernando abrió la portalada y entró en el corral.

Águeda se hallaba sola. Anunciáronle una visita; y sin dársele tiempo para preguntar de quién era, ya apareció Fernando en la estancia, pálido y torpe, como colegial delante de su maestro. Águeda, al verle, se puso no pálida, sino lívida.

–¡Virgen santa! –murmuró apartando los ojos de Fernando.

[...]

Encauzada, al fin, la conversación, gracias al esfuerzo de voluntad del joven, llegó a decir Águeda:

–Veía la muerte junto al lecho de mi madre; juzgué que el doctor Peñarrubia[15] era el único recurso humano que podía salvarla y le busqué.

–Eso es decirme, Águeda –replicó Fernando–, que yo he creído que en la carta escrita a mi padre iba la llave para que yo abriera estas puertas que se habían cerrado.

–Esto es dar a un hecho la única explicación que tiene.

–Y por ventura, ¿le he dado yo otra distinta?

–Expongo la razón de mi conducta.

–¿A quién? ¿A mí? ¡Ay, Águeda! ¡Desgraciadamente, no puedo invocar ese derecho!

–Pero yo le reconozco en quien acaso me escucha en este instante; su memoria es mi juez y ha de serlo.

–No olvido que ese juez[16] me cerró estas puertas.

Águeda calló.

–Ni que tú echaste la llave –añadió Fernando–. Ya ves que es ocioso recordármelo.

–Entonces, ¿por qué has venido?

–Porque no pensé que en estas horas supremas en que la costumbre obliga a ser paciente con tantas protestas falsas de cariño, fueras desdeñosa con el único corazón que mide y siente la magnitud de tu pena.

....

[15] El primer capítulo de la obra refiere cómo el padre de Fernando, el doctor Peñarrubia, es llamado por Águeda ante la gravedad de su madre y, aunque éste ya no ejerce la medicina, acude a la petición.

[16] La madre de Águeda despachó a Fernando de la casa para evitar que su hija se casase con un hombre ateo.

Águeda oyó el eco de estas palabras en lo más hondo de su pecho, y se abandonó al dulce sentimiento que las inspiró.

–¡Si vieras, Fernando –dijo, con los hermosos ojos arrasados en lágrimas–, qué triste es la soledad en que me hallo! ¡Si vieras qué grande, qué oscura y qué fría me parece esta casa desde que se fue para siempre quien la llenaba toda!

–¡Te crees sola, Águeda –repuso el joven reanimado con esta sencilla denuncia de un afecto aún palpitante–; te crees sola, y te complaces en alejar de tu lado a los que te aman!

Como si estas palabras hubieran vuelto a Águeda la línea de un deber olvidado, preguntó con firme entonación, mirando con valentía a Fernando:

–¿Hubieras venido hoy a esta casa hallándose mi madre viva en ella?

–¡Te juro que sin ese propósito no hubiera vuelto a la Montaña!... ¿Y cómo renunciar a él? Se desecha un antojo pueril; se arroja a los vientos del olvido la ilusión de un día; pero no se arranca del pecho jamás lo que ha arraigado allí con la fuerza y la voluntad del destino. Esto lo sabes tú muy bien, Águeda, o no me decías la verdad cuando el abismo no se había abierto aún entre nosotros. Pues bien, los abismos, o se llenan o se salvan, según sea su profundidad. Yo no conozco todavía la del nuestro; para conocerla hubiera vuelto aquí.

–Te dije que este abismo no es de los que se salvan con puentes, y que es muy profundo para colmado.

–Ese dictamen tuyo pudiera no ser el mío. Lo cierto es que me hablaste del conflicto, que indicaste algo sobre su naturaleza; pero nadie accedió entonces a mis deseos de examinarle con serenidad. Una voluntad de hierro se opuso siempre...

–Pues esa voluntad, Fernando, es la que sigue mandando en esta casa, y entiende que, sin ella, la mía hubiera bastado para cerrarte estas puertas.

–¿Y piensas, Águeda, que eso es obrar con justicia?

–Sé que obro con la ley de Dios, y esto me basta.

–¿Y es ley de Dios negar la luz que perece en la oscuridad, arrojar en la sima de todos los tormentos al que camina por una senda despejada en busca del bien que ya tocan sus manos?

Águeda miró a Fernando con fijeza y le dijo:

–Cuanto más grande es el bien que se busca, más heroica es la resignación que se necesita para renunciar a él.

[...]

[...]

–Díceseme que vuelva atrás la vista... Un año ha que no sé mirar a otra parte porque vivo de los recuerdos desde que se cerró el camino de mis esperanzas... ¡Déjame evocarlos, Águeda!

–¡Apartarlos de tu memoria fuera mejor para entrambos! –dijo Águeda con angustia.

–¡Tanto valiera –repuso Fernando con vehemencia– quitar la luz de mis ojos! No tengo fuerzas, Águeda, para arrancarte de mi pensamiento, ni al precio de ese sacrificio quiero la vida.

–Esa vida no es tuya, y has de aceptarla por triste que sea.

–No es mía, es verdad, pues te la consagré al conocerte.

–¡Tu vida es de Dios, Fernando, no lo olvides!

–Yo no sé más sino que es muy amarga sin ti, y que no puedo con ella.

–Arrástrala como una cruz, que calvario es el mundo.

–¡Ayúdame al menos a llevarla!

–Y ¿a quién encomendaré la mía, Fernando? ¡Si vieras lo que pesa!

–¡No lo parece, Águeda!

–¿Porque no me quejo como tú? ¿Porque no me rebelo?

–Porque si esa cruz que arrastras es como la mía, en tu voluntad está librarte pronto de ella... abreviando el camino.

–El que yo sigo no tiene atajos: con cruz o sin ella he de seguirle hasta el fin. Tocóme la cruz y la llevo. Ése es mi deber.

–¡Dichosa tú si a tanto te atreves! Yo no tengo esa virtud.

–Porque falta la fe.

–En ti puse la mía, y en ti la tengo.

–Ponla en cosa más alta, si no quieres perderla.

–No podemos entendernos así, Águeda; yo mido un hecho con el criterio humano, y tú le contemplas desde los ideales de tu fantasía religiosa. Desciende por un instante al mundo de la realidad, y júzgame entre los hombres y con la razón de los hombres. El destino quiso que tú y yo nos halláramos, porque nos había arrojado a la vida para eso. No recuerdo cómo te lo dije, o si te lo dije con palabras; pero sé que cuando sentí que te amaba, ya lo sabías tú, como yo supe que era dueño de tu corazón sin que me lo confesaras.

[...]

JUAN VALERA
(1824-1905)

Nació en Cabra (Córdoba) de familia noble y recibió
una educación rica y refinada. Diplomático de profesión,
residió en distintas capitales europeas y americanas, frecuentó
ambientes selectos y consolidó su cultura humanista
e internacional.
Paralelamente a su activa vida social, cultivó el ensayo
y la crítica literaria. Cuando casi tenía 50 años, se introdujo
en el campo de la novela con la publicación en 1874 de
Pepita Jiménez, a la que siguieron un conjunto de novelas,
entre las que podemos citar aquellas que se centran
en un personaje femenino, cuya psicología captó
con gran finura y precisión: *Doña Luz, Genio y figura*
y *Juanita la Larga*.

PEPITA JIMÉNEZ
(1874)

*Luis Vargas ha sido educado por su tío, deán de una catedral,
y está a punto de hacerse sacerdote. Unos meses antes de recibir
las órdenes religiosas va a pasar una temporada a casa
de su padre, rico propietario que vive en un pueblo andaluz.
Desde allí escribe frecuentemente a su tío, contándole sus vivencias,
sus impresiones y expresando sus deseos de volver junto a él.
Su correspondencia es una especie de diario espiritual
que da cuenta de su inesperada evolución, en la que tiene mucho
que ver una viuda joven llamada Pepita Jiménez.*

I

CARTAS DE MI SOBRINO

[...]

28 de marzo

Me voy cansando de mi residencia en este lugar, y cada día siento más deseo de volverme con usted, y de recibir las órdenes; pero mi padre quiere acompañarme, estar presente en esa gran solemnidad y exige de mí que permanezca aquí con él dos meses por lo menos. Está tan afable, tan cariñoso conmigo, que sería imposible no darle gusto en todo. Permaneceré, pues, aquí el tiempo que él quiera. Para complacerle me violento y procuro aparentar que me gustan las diversiones de aquí, las jiras campestres y hasta la caza, a todo lo cual le acompaño. Procuro mostrarme más alegre y bullicioso de lo que naturalmente soy. Como en el pueblo, medio de burla, medio en son de elogio, me llaman el *santo*, yo por modestia trato de disimular estas apariencias de santidad o de suavizarlas y humanarlas con la virtud de la eutropelia[1], ostentando una alegría serena y decente, la cual nunca estuvo reñida ni con la santidad ni con los santos. Confieso, con todo, que las bromas y fiestas de aquí, que los chistes groseros y el regocijo estruendoso, me cansan. No quisiera incurrir en murmuración ni ser maldiciente, aunque sea con todo sigilo y de mí para usted; pero a menudo me doy a pensar que tal vez sería más difícil empresa el moralizar y evangelizar un poco a estas gentes, y más lógica y meritoria que el irse a la India, a la Persia o a la China, dejándose atrás a tanto compatriota, si no perdido, algo pervertido. ¡Quién sabe! Dicen algunos que las ideas modernas, que el materialismo y la incredulidad tienen la culpa de todo; pero si la tienen, pero si obran tan malos efectos, ha de ser de un modo extraño, mágico, diabólico, y no por medios naturales, pues es lo cierto que nadie lee aquí libro alguno, ni bueno ni malo, por donde no atino a comprender cómo puedan pervertirse con las malas doctrinas que privan ahora. ¿Estarán en el aire las malas doctrinas, a modo de miasmas de una epidemia? ¿Acaso (y siento tener este mal pensamiento, que a usted solo declaro), acaso tenga la culpa el mismo clero? ¿Está en España a la altura de su misión? ¿Va a enseñar y a moralizar en los pueblos? ¿En todos sus individuos es capaz de esto? ¿Hay verdadera voca-

---

[1] *eutropelia*: juego o entretenimiento inocente.

ción en los que se consagran a la vida religiosa y a la cura de almas, o es sólo un modo de vivir como otro cualquiera, con la diferencia de que hoy no se dedican a él sino los más menesterosos, los más sin esperanzas y sin medios, por lo mismo que esta *carrera* ofrece menos porvenir que cualquiera otra? Sea como sea, la escasez de sacerdotes instruidos y virtuosos excita más en mí el deseo de ser sacerdote. No quisiera yo que el amor propio me engañase; reconozco todos mis defectos; pero siento en mí una verdadera vocación, y muchos de ellos podrán enmendarse con el auxilio divino.

Hace tres días tuvimos el convite, de que hablé a usted, en casa de Pepita Jiménez. Como esta mujer vive tan retirada, no la conocí hasta el día del convite; me pareció, en efecto, tan bonita como dice la fama, y advertí que tiene con mi padre una afabilidad tan grande que le da alguna esperanza, al menos miradas las cosas someramente, de que al cabo ceda y acepte su mano.

Como es posible que sea mi madrastra, la he mirado con detención y me parece una mujer singular, cuyas condiciones morales no atino a determinar con certidumbre. Hay en ella un sosiego, una paz exterior, que puede provenir de frialdad de espíritu y de corazón, de estar muy sobre sí y de calcularlo todo, sintiendo poco o nada, y pudiera provenir también de otras prendas que hubiera en su alma; de la tranquilidad de su conciencia, de la pureza de sus aspiraciones y del pensamiento de cumplir en esta vida con los deberes que la sociedad impone, fijando la mente, como término, en esperanzas más altas. Ello es lo cierto que, o bien porque en esta mujer todo es cálculo, sin elevarse su mente a superiores esferas, o bien porque enlaza la prosa del vivir y la poesía de sus ensueños en una perfecta armonía, no hay en ella nada que desentone del cuadro general en que está colocada, y, sin embargo, posee una distinción natural, que la levanta y separa de cuanto la rodea. No afecta vestir traje aldeano ni se viste tampoco según la moda de las ciudades: mezcla ambos estilos en su vestir, de modo que parece una señora, pero una señora de lugar. Disimula mucho, a lo que yo presumo, el cuidado que tiene de su persona; no se advierten en ella ni cosméticos ni afeites; pero la blancura de sus manos, las uñas tan bien cuidadas y acicaladas, y todo el aseo y pulcritud con que está vestida, denotan que cuida de estas cosas más de lo que se pudiera creer en una persona que vive en un pueblo y que además dicen que desdeña las vanidades del mundo y sólo piensa en las cosas del cielo.

Tiene la casa limpísima y todo en un orden perfecto. Los muebles no son artísticos ni elegantes; pero tampoco se advierte en ellos nada de pretencioso y de mal gusto. Para poetizar su estancia, tanto en el patio como en las salas y galerías, hay multitud de flores y plantas.

No tiene, en verdad, ninguna planta rara ni ninguna flor exótica; pero sus plantas y sus flores, de lo más común que hay por aquí, están cuidadas con extraordinario mimo.

Varios canarios en jaulas doradas animan con sus trinos toda la casa. Se conoce que el dueño de ella necesita seres vivos en quien poner algún cariño; y, a más de algunas criadas, que se diría que ha elegido con empeño, pues no puede ser mera casualidad el que sean todas bonitas, tiene, como las viejas solteronas, varios animales que le hacen compañía: un loro, una perrita de lanas muy lavada y dos o tres gatos, tan mansos y sociables que se le ponen a uno encima.

En un extremo de la sala principal hay algo como oratorio, donde resplandece un Niño Jesús de talla, blanco y rubio, con ojos azules y bastante guapo. Su vestido es de raso blanco, con manto azul lleno de estrellitas de oro, y todo él está cubierto de dijes y de joyas. El altarito en que está el Niño Jesús se ve adornado de flores, y alrededor macetas de brusco y laureola[2], y en el altar mismo, que tiene gradas o escaloncitos, mucha cera ardiendo.

Al ver todo esto no sé qué pensar; pero más a menudo me inclino a creer que la viuda se ama a sí misma sobre todo, y que para recreo y para efusión de este amor tiene los gatos, los canarios, las flores y al propio Niño Jesús, que en el fondo de su alma tal vez no esté muy por encima de los canarios y de los gatos.

No se puede negar que la Pepita Jiménez es discreta: ninguna broma tonta, ninguna pregunta impertinente sobre mi vocación y sobre las órdenes que voy a recibir dentro de poco han salido de sus labios. Habló conmigo de las cosas del lugar, de la labranza, de la última cosecha de vino y de aceite y del modo de mejorar la elaboración del vino; todo ello con modestia y naturalidad, sin mostrar deseo de pasar por muy entendida.

Mi padre estuvo finísimo; parecía remozado, y sus extremos cuidados hacia la dama de sus pensamientos eran recibidos, si no con amor, con gratitud.

Asistieron al convite el médico, el escribano y el señor Vicario, grande amigo de la casa y padre espiritual de Pepita.

El señor Vicario debe de tener un alto concepto de ella, porque varias veces me habló aparte de su caridad, de las muchas limosnas que hacía, de lo compasiva y buena que era para todo el mundo; en suma, me dijo que era una santa.

....

[2] *brusco y laureola:* dos plantas.

Oído el señor Vicario, y fiándome en su juicio, ya no puedo menos de desear que mi padre se case con la Pepita. Como mi padre no es a propósito para hacer vida penitente, éste sería el único modo de que viniese a parar a un término, si no ejemplar, ordenado y pacífico.

Cuando nos retiramos de casa de Pepita Jiménez y volvimos a la nuestra, mi padre me habló resueltamente de su proyecto: me dijo que él había sido un gran calavera, que había llevado una vida muy mala y que no veía medio de enmendarse, a pesar de sus años, si aquella mujer, que era su salvación, no le quería y se casaba con él. Dando ya por supuesto que iba a quererle y a casarse, mi padre me habló de intereses: me dijo que era muy rico y que me dejaría mejorado, aunque tuviese varios hijos más. Yo le respondí que para los planes y fines de mi vida necesitaba harto poco dinero, y que mi mayor contento sería verle dichoso con mujer e hijos, olvidado de sus antiguos devaneos. Me habló luego mi padre de sus esperanzas amorosas, con un candor y con una vivacidad tales, que se diría que yo era el padre y el viejo y él un chico de mi edad o más joven. Para ponderarme el mérito de la novia y la dificultad del triunfo, me refirió las condiciones y excelencias de los quince o veinte novios que Pepita había tenido, y que todos habían llevado calabazas. En cuanto a él, según me explicó, hasta cierto punto las había también llevado; pero se lisonjeaba de que no fuesen definitivas, porque Pepita le distinguía tanto y le mostraba tan grande afecto, que, si aquello no era amor, pudiera fácilmente convertirse en amor con el largo trato y con la persistente adoración que él le consagraba. Además, la causa del desvío de Pepita tenía para mi padre un no sé qué de fantástico y de sofístico que al cabo debía desvanecerse. Pepita no quería retirarse a un convento ni se inclinaba a la vida penitente: a pesar de su recogimiento y de su vocación religiosa, harto se dejaba ver que se complacía en agradar. El aseo y el esmero de su persona poco tenían de cenobíticos[3]. La culpa de los desvíos de Pepita, decía mi padre, es sin duda su orgullo, orgullo en gran parte fundado; ella es naturalmente elegante, distinguida; es un ser superior por la voluntad y por la inteligencia, por más que con modestia lo disimule: ¿cómo, pues, ha de entregar su corazón a los palurdos que la han pretendido hasta ahora? Ella imagina que su alma está llena de un místico amor de Dios, y que sólo con Dios se satisface, porque no ha salido a su paso todavía un mortal bastante discreto y agradable que le haga olvidar hasta a su Niño Jesús. Aunque sea inmodestia, añadía mi padre, yo me lisonjeo aún de ser ese mortal dichoso.

---

[3] *cenobíticos*: de persona que vive en un cenobio o convento, alejada de la vanidad mundana.

Tales son, querido tío, las preocupaciones y ocupaciones de mi padre en este pueblo, y las cosas tan extrañas para mí y tan ajenas a mis propósitos y pensamientos de que me habla con frecuencia, y sobre las cuales quiere que dé mi voto.

[...]

4 de mayo

Extraño es que en tantos días yo no haya tenido tiempo para escribir a usted; pero tal es la verdad. Mi padre no me deja parar y las visitas me asedian.

[...]

En estos últimos días he tenido ocasión de ejercitar mi paciencia en grande y de mortificar mi amor propio del modo más cruel.

Mi padre quiso pagar a Pepita el obsequio de la huerta, y la convidó a visitar su quinta del Pozo de la Solana. La expedición fue el 22 de abril. No se me olvidará esta fecha.

El Pozo de la Solana dista más de dos leguas de este lugar, y no hay hasta allí sino camino de herradura. Tuvimos todos que ir a caballo. Yo, como jamás he aprendido a montar, he acompañado a mi padre en todas las anteriores excursiones en una mulita de paso, muy mansa, y que, según la expresión de Dientes, el mulero, es más noble que el oro y más serena que un coche. En el viaje al Pozo de la Solana fui en la misma cabalgadura.

Mi padre, el escribano, el boticario y mi primo Currito iban en buenos caballos. Mi tía doña Casilda, que pesa más de diez arrobas, en una enorme y poderosa burra con sus jamugas. El señor Vicario, en una mula mansa y serena como la mía.

En cuanto a Pepita Jiménez, que imaginaba yo que vendría también en burra con jamugas, pues ignoraba que montase, me sorprendió, apareciendo en un caballo tordo muy vivo y fogoso, vestida de amazona, y manejando el caballo con destreza y primor notables.

Me alegré de ver a Pepita tan gallarda a caballo; pero desde luego presentí y empezó a mortificarme el desairado papel que me tocaba hacer al lado de la robusta tía doña Casilda, y del padre Vicario, yendo nosotros a retaguardia, pacíficos y «serenos» como en coche, mientras que la lucida cabalgata caracolearía, correría, trotaría y haría mil evoluciones y escarceos.

Al punto se me antojó que Pepita me miraba compasiva, al ver la facha lastimosa que sobre la mula debía yo de tener. Mi primo Currito me miró con sonrisa burlona, y empezó en seguida a embromarme y atormentarme.

Aplauda usted mi resignación y mi valerosa paciencia. A todo me sometí de buen talante, y pronto hasta las bromas de Currito acabaron al notar cuán invulnerable yo era. ¡Pero cuánto sufrí por dentro! Ellos corrieron, galoparon, se nos adelantaron a la ida y a la vuelta. El Vicario y yo permanecimos siempre «serenos», como las mulas, sin salir del paso y llevando a doña Casilda en medio.

Ni siquiera tuve el consuelo de hablar con el padre Vicario, cuya conversación me es tan grata, ni de encerrarme dentro de mí mismo y fantasear y soñar, ni de admirar a mis solas la belleza del terreno que recorríamos. Doña Casilda es de una locuacidad abominable, y tuvimos que oírla. Nos dijo cuanto hay que saber de chismes del pueblo, y nos habló de todas sus habilidades, y nos explicó el modo de hacer salchichas, morcillas de sesos, hojaldres y otros mil guisos y regalos. Nadie la vence en negocios de cocina y de matanza de cerdos, según ella, sino Antoñona, la nodriza de Pepita Jiménez, y hoy su ama de llaves y directora de su casa. Yo conozco ya a la tal Antoñona, pues va y viene a casa con recados, y, en efecto, es muy lista: tan parlanchina como la tía Casilda, pero cien mil veces más discreta.

El camino hacia el Pozo de la Solana es delicioso; pero yo iba tan contrariado que no acerté a gozar de él. Cuando llegamos a la casería y nos apeamos, se me quitó de encima un gran peso, como si fuese yo quien hubiese llevado a la mula y no la mula a mí.

Ya a pie, recorrimos la posesión, que es magnífica, variada y extensa. Hay allí más de 120 fanegas de viña vieja y majuelo, todo bajo un linde; otro tanto o más de olivar, y, por último, un bosque de encinas de las más corpulentas que aún quedan en pie en toda Andalucía. El agua del Pozo de la Solana forma un arroyo claro y abundante, donde vienen a beber todos los pajarillos de las cercanías, y donde se cazan a centenares por medio de espartos con liga, o con red, en cuyo centro se colocan el cimbel y el reclamo. Allí recordé mis diversiones de la niñez y cuántas veces había ido yo a cazar pajarillos de la manera expresada.

Siguiendo el curso del arroyo, y sobre todo en las hondonadas, hay muchos álamos y otros árboles altos que, con las matas y hierbas, crean un intrincado laberinto y una sombría espesura. Mil plantas silvestres y olorosas crecen allí de un modo espontáneo, y por cierto que es difícil imaginar nada más esquivo, agreste y verdaderamente solitario, apacible y silencioso que aquellos lugares. Se concibe allí en el fervor del mediodía, cuando el sol vierte a torrentes la luz desde un cielo sin nubes, en las calurosas y reposadas siestas, el mismo terror misterioso de las horas nocturnas. Se concibe allí la vida de los antiguos patriarcas y de los primitivos héroes y pastores, y las apariciones y visiones que tenían de ninfas, de deidades y de ángeles en medio de la claridad meridiana.

Andando por aquella espesura, hubo un momento en el cual, no acierto a decir cómo, Pepita y yo nos encontramos solos; yo al lado de ella. Los demás se habían quedado atrás.

Entonces sentí por todo mi cuerpo un estremecimiento. Era la primera vez que me veía a solas con aquella mujer y en sitio tan apartado, y cuando yo pensaba en las apariciones meridianas, ya siniestras, ya dulces, y siempre sobrenaturales, de los hombres de las edades remotas.

Pepita había dejado en el caserío la larga falda de montar, y caminaba con un vestido corto, que no estorbaba la graciosa ligereza de sus movimientos. Sobre la cabeza llevaba un sombrerillo andaluz, colocado con gracia. En la mano el látigo, que se me antojó como varita de virtudes, con que pudiera hechizarme aquella maga.

Ilustración
de Pepita Jiménez,
en una edición de 1925.

No temo repetir aquí los elogios de su belleza. En aquellos sitios agrestes se me apareció más hermosa. La cautela, que recomiendan los ascetas, de pensar en ella, afeada por los años y por las enfermedades, de figurármela muerta, llena de hedor y podredumbre y cubierta de gusanos, vino, a pesar mío, a mi imaginación, y digo «a pesar mío» porque no entiendo que tan terrible cautela fuese indispensable. Ninguna idea mala en lo material, ninguna sugestión del espíritu maligno turbó entonces mi razón ni logró inficionar mi voluntad y mis sentidos.

Lo que sí me ocurrió fue un argumento para invalidar, al menos en mí, la virtud de esa cautela. La hermosura, obra de un arte soberano y divino, puede ser caduca, efímera, desaparecer en el instante; pero su idea es eterna, y en la mente del hombre vive vida inmortal, una vez percibida. La belleza de esta mujer, tal como hoy se me manifiesta, desaparecerá dentro de breves años: ese cuerpo elegante, esas formas esbeltas, esa noble cabeza, tan gentilmente erguida sobre los hombros, todo será pasto de gusanos inmundos; pero si la materia ha de transformarse, la forma, el pensamiento artístico, la hermosura misma, ¿quién la destruirá? ¿No está en la mente divina? Percibida y conocida por mí, ¿no vivirá en mi alma, vencedora de la vejez y aun de la muerte?

Así meditaba yo cuando Pepita y yo nos acercamos. Así serenaba yo mi espíritu y mitigaba los recelos que usted ha sabido infundirme. Yo deseaba y no deseaba a la vez que llegasen los otros. Me complacía y me afligía al mismo tiempo de estar solo con aquella mujer.

La voz argentina de Pepita rompió el silencio, y sacándome de mis meditaciones, dijo:

–¡Qué callado y qué triste está usted, señor don Luis! Me apesadumbra el pensar que tal vez por culpa mía, en parte al menos, da a usted hoy un mal rato su padre trayéndole a estas soledades y sacándole de otras más apartadas, donde no tendrá usted nada que le distraiga de sus oraciones y piadosas lecturas.

Yo no sé lo que contesté a esto. Hube de contestar alguna sandez, porque estaba turbado, y ni quería hacer un cumplimiento a Pepita, diciendo galanterías profanas, ni quería contestar de un modo grosero.

Ella prosiguió:

–Usted me ha de perdonar si soy maliciosa; pero se me figura que además del disgusto de verse usted separado hoy de sus ocupaciones favoritas, hay algo más que contribuye poderosamente a su malhumor.

–¿Qué es ese algo más –dije yo–, pues usted lo descubre todo o cree descubrirlo?

–Ese algo más –replicó Pepita– no es sentimiento propio de quien va a ser sacerdote tan pronto, pero sí lo es de un joven de veintidós años.

Al oír esto sentí que la sangre me subía al rostro y que el rostro me ardía. Imaginé mil extravagancias, me creí presa de una obsesión. Me juzgué provocado por Pepita, que iba a darme a entender que conocía que yo gustaba de ella. Entonces mi timidez se trocó en atrevida soberbia, y la miré de hito en hito. Algo de ridículo hubo de haber en mi mirada, pero o Pepita no lo advirtió o lo disimuló con benévola prudencia, exclamando del modo más sencillo:

–No se ofenda usted porque yo le descubra alguna falta. Esta que he notado me parece leve. Usted está lastimado de las bromas de Currito y de hacer (hablando profanamente) un papel poco airoso, montando en una mula mansa, como el señor Vicario, con sus ochenta años, y no en un brioso caballo, como debiera un joven de su edad y circunstancias. La culpa es del señor deán, que no ha pensado en que usted aprenda a montar. La equitación no se opone a la vida que usted piensa seguir, y yo creo que su padre de usted, ya que está usted aquí, debiera en pocos días enseñarle. Si usted va a Persia o a China, allí no hay ferrocarriles aún, y hará usted una triste figura cabalgando mal. Tal vez se desacredite el misionero entre aquellos bárbaros, merced a esta torpeza, y luego sea más difícil de lograr el fruto de las predicaciones.

Estos y otros razonamientos más adujo Pepita para que yo aprendiese a montar a caballo, y quedé tan convencido de lo útil que es la equitación para un misionero, que le prometí aprender en seguida, tomando a mi padre por maestro.

–En la primera nueva expedición que hagamos –le dije–, he de ir en el caballo más fogoso de mi padre, y no en la mulita de paso en que voy ahora.

–Mucho me alegraré –replicó Pepita con una sonrisa de indecible suavidad.

En esto llegaron todos al sitio en que estábamos, y yo me alegré en mis adentros, no por otra cosa, sino por temor de no acertar a sostener la conversación, y de salir con 200.000 simplicidades por mi poca o ninguna práctica de hablar con mujeres.

Después del paseo, sobre la fresca hierba y en el más lindo sitio junto al arroyo, nos sirvieron los criados de mi padre una rústica y abundante merienda. La conversación fue muy animada, y Pepita mostró mucho más ingenio y discreción. Mi primo Currito volvió a embromarme sobre mi manera de cabalgar y sobre la mansedumbre de mi mula: me llamó «teólogo», y me dijo que sobre aquella mula parecía que iba yo repartiendo bendiciones. Esta vez, ya con el firme propósito de hacerme jinete, contesté a las bromas con desenfado picante. Me callé, con todo, el compromiso contraído de aprender la equitación. Pepita, aunque en nada habíamos convenido, pensó sin duda, como yo, que importaba el sigilo para sorprender luego, cabalgando bien, y nada dijo de nuestra conversación. De aquí provino, natural y sencillamente, que existiera un secreto entre ambos, lo cual produjo en mi ánimo extraño efecto.

Nada más ocurrió aquel día que merezca contarse.

Por la tarde volvimos al lugar como habíamos venido. Yo, sin embargo, en mi mula mansa y al lado de la tía Casilda, no me aburrí ni entristecí a la vuelta como a la ida. Durante todo el viaje oí a la tía sin cansancio referir sus historias, y por momentos me distraje en vagas imaginaciones.

Nada de lo que en mi alma pasa debe ser un misterio para usted. Declaro que la figura de Pepita era como el centro o, mejor dicho, como el núcleo y el foco de estas imaginaciones vagas.

Su meridiana aparición, en lo más intrincado, umbrío y silencioso de la verde enramada, me trajo a la memoria todas las apariciones, buenas o malas, de seres portentosos y de condición superior a la nuestra, que había yo leído en los autores sagrados y en los clásicos profanos. Pepita, pues se me mostraba en los ojos y en el teatro interior de mi fantasía, no como iba a caballo delante de nosotros, sino de un modo ideal y etéreo, en el retiro nemoroso, como a Eneas su madre, como a Calímaco Palas, como al pastor bohemio Kroco la sílfide que luego concibió a Libusa, como Diana al hijo de Aristeo, como al Patriarca los ángeles en el valle de Mambré, como a San Antonio el hipocentauro en la soledad del yermo.

Encuentro tan natural como el de Pepita se trastocaba en mi mente en algo de prodigio. Por un momento, al notar la consistencia de esta imaginación, me creí obseso; me figuré, como era evidente, que en los pocos minutos que había estado a solas con Pepita junto al arroyo de la Solana nada había ocurrido que no fuese natural y vulgar; pero que después, conforme iba yo caminando tranquilo en mi mula, algún demonio se agitaba invisible en torno mío, sugiriéndome mil disparates.

Aquella noche dije a mi padre mi deseo de aprender a montar. No quise ocultarle que Pepita me había excitado a ello. Mi padre tuvo una alegría extraordinaria. Me abrazó, me besó, me dijo que ya no era usted solo mi maestro, que él también iba a tener el gusto de enseñarme algo. Me aseguró, por último, que en dos o tres semanas haría de mí el mejor caballista de toda Andalucía; capaz de ir a Gibraltar por contrabando y de volver de allí, burlando al resguardo, con una coracha de tabaco y con un buen alijo de algodones; apto, en suma, para pasmar a todos los jinetes que se lucen en las ferias de Sevilla y Mairena, y para oprimir los lomos de «Babieca» y de «Bucéfalo», y aun de los propios caballos del Sol, si por acaso bajaban a la Tierra y podía yo asirlos de la brida.

[...]

Ayer fue día de la Cruz[4] y estuvo el lugar muy animado. En cada calle hubo seis o siete cruces de mayo llenas de flores, si bien ninguna tan bella como la que puso Pepita en la puerta de su casa. Era un mar de flores el que engalanaba la cruz.

Por la noche tuvimos fiesta en casa de Pepita. La cruz, que había estado en la calle, se colocó en una gran sala baja, donde hay piano, y nos dio Pepita un espectáculo sencillo y poético que yo había visto cuando niño, aunque no le recordaba.

De la cabeza de la cruz pendían siete listones o cintas anchas, dos blancas, dos verdes y tres encarnadas, que son los colores simbólicos de las virtudes teologales. Ocho niños de cinco o seis años, representando los siete sacramentos, asidos de las siete cintas que pendían de la cruz, bailaron a modo de una contradanza muy bien ensayada. El Bautismo era un niño vestido de catecúmeno con su túnica blanca; el Orden, otro niño de sacerdote; la Confirmación, un obispito; la Extremaunción, un peregrino con bordón y esclavina llena de conchas; el Matrimonio, un novio y una novia, y un Nazareno con cruz y corona de espinas, la Penitencia.

El baile, más que baile, fue una serie de reverencias, pasos, evoluciones y genuflexiones al compás de una música no mala, de algo como marcha, que el organista tocó en el piano con bastante destreza.

Los niños, hijos de criados y familiares de la casa de Pepita, después de hacer su papel, se fueron a dormir muy regalados y agasajados.

La tertulia continuó hasta las doce, y hubo refresco; esto es, tacitas de almíbar, y, por último, chocolate con torta de bizcocho y agua con azucarillos.

El retiro y la soledad de Pepita van olvidándose desde que volvió la primavera, de lo cual mi padre está muy contento. De aquí en

---

[4] *día de la Cruz*: fiesta tradicional que coincide con el comienzo de la primavera, cuyas flores se emplean para engalanar cruces.

adelante Pepita recibirá todas las noches, y mi padre quiere que yo sea de la tertulia.

Pepita ha dejado el luto, y está ahora más galana y vistosa con trajes ligeros y casi de verano, aunque siempre muy modestos.

Tengo la esperanza de que lo más que mi padre me retendrá ya por aquí será todo este mes. En junio nos iremos juntos a esa ciudad, y ya usted verá cómo, libre de Pepita, que no piensa en mí ni se acordará de mí para malo ni para bueno, tendré el gusto de abrazar a usted y de lograr la dicha de ser sacerdote.

[...]

7 de mayo

Todas las noches, de nueve a doce, tenemos, como ya indiqué a usted, tertulia en casa de Pepita. Van cuatro o cinco señoras y otras tantas señoritas del lugar, contando con la tía Casilda, y van también seis o siete caballeritos, que suelen jugar a juegos de prendas con las niñas. Como es natural, hay tres o cuatro noviazgos.

La gente formal de la tertulia es la de siempre. Se compone, como si dijéramos, de los altos funcionarios: de mi padre, que es el cacique[5], del boticario, del médico, del escribano y del señor Vicario.

Pepita juega al tresillo con mi padre, con el señor Vicario y con algún otro.

Yo no sé de qué lado ponerme. Si me voy con la gente joven, estorbo con mi gravedad en sus juegos y enamoramientos. Si me voy con el estado mayor, tengo que hacer el papel de mirón en una cosa que no entiendo. Yo no sé más juego de naipes que el burro ciego, el burro con vista y un poco de tute o brisca cruzada.

Lo mejor sería que yo no fuese a la tertulia; pero mi padre se empeña en que vaya. Con no ir, según él, me pondría en ridículo.

Muchos extremos de admiración hace mi padre al notar mi ignorancia de ciertas cosas. Esto de que yo no sepa jugar al tresillo, siquiera al tresillo, le tiene maravillado.

–Tu tío te ha criado –me dice– debajo de un fanal, haciéndote tragar teología y más teología, y dejándote a oscuras de lo demás que

---

[5] *cacique*: aquí no tiene sentido peyorativo; se refiere al rico del pueblo, que recibe una consideración especial de las gentes.

hay que saber. Por lo mismo que vas a ser clérigo y que no podrás bailar ni enamorar en las reuniones, necesitas jugar al tresillo. Si no, ¿qué vas a hacer, desdichado?

A estos y otros discursos por el estilo he tenido que rendirme, y mi padre me está enseñando en casa a jugar al tresillo, para que, no bien lo sepa, lo juegue en la tertulia de Pepita. También, como ya dije a usted, ha querido enseñarme la esgrima, y después, a fumar y a tirar a la pistola y la barra[6]; pero en nada de esto he consentido yo.

–¡Qué diferencia –exclama mi padre– entre tu mocedad y la mía!

Y luego añade riéndose:

–En sustancia, todo es lo mismo. Yo también tenía mis horas canónicas[7] en el cuartel de Guardias de Corps[8]; el cigarro era el incensario, la baraja el libro de coro, y nunca me faltaban otras devociones y ejercicios más o menos espirituales.

Aunque usted me tenía prevenido acerca de estas genialidades[9] de mi padre, y de que por ellas había estado yo con usted doce años, desde los diez a los veintidós, todavía me aturden y desazonan los dichos de mi padre, sobrado libres a veces. Pero ¿qué le hemos de hacer? Aunque no puedo censurárselos, tampoco se los aplaudo ni se los río.

Lo singular y plausible es que mi padre es otro hombre cuando está en casa de Pepita. Ni por casualidad se le escapa una sola frase, un solo chiste de estos que prodiga en otros lugares. En casa de Pepita es mi padre el propio comedimiento. Cada día parece, además, más prendado de ella y con mayores esperanzas de triunfo.

Sigue mi padre contentísimo de mí como discípulo de equitación. Dentro de cuatro o cinco días, asegura que podré ya montar y montaré en *Lucero*, caballo negro, hijo de un caballo árabe y de una yegua de la casta de Guadalcázar, saltador, corredor, lleno de fuego y adiestrado en todo linaje de corvetas.

[...]

....

[6] *barra:* pieza alargada de hierro que se lanza en un juego, que gana el que la arroja a mayor distancia cuando la barra cae de punta.

[7] *horas canónicas*: partes del oficio divino que sacerdotes y religiosos deben rezar en distintas horas del día, como maitines, laudes, vísperas, etc.

[8] *Guardias de Corps*: guardia que da escolta al rey.

[9] El padre de Luis es un hombre de mundo que ama la vida, las diversiones y los placeres. Nunca se había casado y Luis nació al margen del matrimonio. Para librarlo de su influencia, el tío se hizo cargo de la educación del niño.

Aunque me paso todo el día en el campo a caballo, en el casino y en la tertulia, robo algunas horas al sueño, ya voluntariamente, ya porque me desvelo, y medito en mi posición y hago examen de conciencia.

[...]

6 de junio

La nodriza de Pepita, hoy su ama de llaves, es, como dice mi padre, una buena pieza de arrugadillo; picotera[10], alegre y hábil como pocas. Se casó con el hijo del maestro Cencias, y ha heredado del padre lo que el hijo no heredó: una portentosa facilidad para las artes y los oficios. La diferencia está en que el maestro Cencias componía un husillo de lagar, arreglaba las ruedas de una carreta o hacía un arado, y esta nuera suya hace dulces, arropes y otras golosinas. El suegro ejercía deleite inocente, o lícito al menos.

Antoñona, que así se llama, tiene o se toma la mayor confianza con todo el señorío. En todas las casas entra y sale como en la suya. A todos los señoritos y señoritas de la edad de Pepita, o de cuatro o cinco años más, los tutea, los llama niños y niñas, y los trata como si los hubiera criado a sus pechos.

A mí me habla de mira[11], como a los otros. Viene a verme, entra en mi cuarto, y ya me ha dicho varias veces que soy un ingrato, y que hago mal en no ir a ver a su señora.

Mi padre, sin advertir nada, me acusa de extravagante, me llama búho, y se empeña también en que vuelva a la tertulia. Anoche no pude ya resistirme a sus repetidas instancias, y fui muy temprano, cuando mi padre iba a hacer las cuentas con el aperador.

¡Ojalá no hubiera ido!

Pepita estaba sola. Al vernos, al saludarnos, nos pusimos los dos colorados. Nos dimos la mano con timidez, sin decirnos palabras.

Yo no estreché la suya; ella no estrechó la mía, pero las conservamos unidas un breve rato.

En la mirada que Pepita me dirigió nada había de amor, sino de amistad, de simpatía, de honda tristeza.

---

[10] *picotera*: palabra derivada de pico y que significa 'parlanchina'.

[11] *hablar de mira*: tutear.

Había adivinado toda mi lucha interior; presumía que el amor divino había triunfado en mi alma; que mi resolución de no amarla era firme e invencible.

No se atrevía a quejarse de mí; conocía que la razón estaba de mi parte. Un suspiro, apenas perceptible, que se escapó de sus frescos labios entreabiertos, manifestó cuánto lo deploraba.

Nuestras manos seguían unidas aún. Ambos mudos. ¿Cómo decirle yo que no era para ella ni ella para mí; que importaba separarnos para siempre?

Sin embargo, aunque no se lo dije con palabras, se lo dije con los ojos. Mi severa mirada confirmó sus temores; la persuadió de la irrevocable sentencia.

De pronto se nublaron sus ojos; todo su rostro hermoso, pálido ya de una palidez translúcida, se contrajo con una bellísima expresión de melancolía. Parecía la madre de los dolores. Dos lágrimas brotaron lentamente de sus ojos y empezaron a deslizarse por sus mejillas.

No sé lo que pasó en mí. ¿Ni cómo describirlo aunque lo supiera?

Acerqué mis labios a su cara para enjugar el llanto, y se unieron nuestras bocas en un beso.

Inefable embriaguez, desmayo fecundo en peligro invadió todo mi ser y el ser de ella. Su cuerpo desfallecía y la sostuve entre mis brazos.

Quiso el cielo que oyésemos los pasos y la tos del padre Vicario, que llegaba, y nos separamos al punto.

Volviendo en mí, y reconcentrando todas las fuerzas de mi voluntad, pude entonces llenar con estas palabras, que pronuncié en voz baja e intensa, aquella terrible escena silenciosa:

–¡El primero y el último!

Yo aludía al beso profano; mas, como si hubieran sido mis palabras una evocación, se ofreció en mi mente la visión apocalíptica[12] en toda su terrible majestad. Vi al que es por cierto el primero y el último, y con la espada de dos filos que salía de su boca me hería en el alma, llena de maldades, de vicios y de pecados.

Toda aquella noche la pasé en un frenesí, en un delirio interior, que no sé cómo disimulaba.

Me retiré de casa de Pepita muy temprano.

---

[12] *apocalíptica:* del *Apocalipsis*, libro del Nuevo Testamento en el que se pronostica el triunfo de Cristo sobre sus enemigos. Luis tiene conciencia de haber pecado por besar a Pepita y, según su educación, merece un castigo, que en su mente representa con las atrocidades apocalípticas.

En la soledad fue mayor mi amargura.

Al recordarme de aquel beso y de aquellas palabras de despedida, me comparaba yo con el traidor Judas, que vendía besando, y con el sanguinario y alevoso asesino Joab, cuando, al besar a Amasá, le hundió el hierro agudo en las entrañas.

Había incurrido en dos traiciones y en dos falsías.

Había faltado a Dios y a ella.

Soy un ser abominable.

[...]

18 de junio

Ésta será la última carta que yo escriba a usted[13].

El 25 saldré de aquí sin falta. Pronto tendré el gusto de dar a usted un abrazo.

Cerca de usted estaré mejor. Usted me infundirá ánimo y me prestará la energía de que carezco.

Una tempestad de encontradas afecciones combate ahora en mi corazón.

El desorden de mis ideas se conocerá en el desorden de lo que estoy escribiendo.

Dos veces he vuelto a casa de Pepita. He estado frío, severo, como debía estar; pero ¡cuánto me ha costado!

Ayer me dijo mi padre que Pepita está indispuesta y que no recibe.

En seguida me asaltó el pensamiento de que su amor mal pagado podría ser la causa de la enfermedad.

¿Por qué la he mirado con las mismas miradas de fuego con que ella me miraba? ¿Por qué la he engañado vilmente? ¿Por qué la he hecho creer que la quería? ¿Por qué mi boca infame buscó la suya y se abrasó y la abrasó con las llamas del infierno?

Pero no; mi pecado no ha de traer como indefectible consecuencia otro pecado.

Lo que ya fue no puede dejar de haber sido, pero puede y debe remediarse.

....

[13] A partir de este punto se acaban las cartas y la historia se narra a través de otros procedimientos.

El 25, repito, partiré sin falta.

La desenvuelta Antoñona acaba de entrar a verme.

Escondí esta carta, como si fuera una maldad escribir a usted.

Sólo un minuto ha estado aquí Antoñona.

Yo me levanté de la silla para hablar con ella de pie y que la visita fuera corta.

En tan corta visita, me ha dicho mil locuras que me afligen profundamente.

Por último, ha exclamado al despedirse, en su jerga medio gitana:

–¡Anda, fullero de amor, «indinote»[14], maldecido seas; *malos chupeles te tragelen el drupo*[15], que has puesto enferma a la niña y con tus retrecherías la estás matando!

Dicho esto, la endiablada mujer me aplicó, de una manera indecorosa y plebeya, por bajo de las espaldas, seis o siete feroces pellizcos, como si quisiera sacarme a túrdigas[16] el pellejo. Después se largó echando chispas.

No me quejo, merezco esta broma brutal, dado que sea broma. Merezco que me atenacen los demonios con tenazas hechas ascua.

¡Dios mío, haz que Pepita me olvide; haz, si es menester, que ame a otro y sea con él dichosa!

¿Puedo pedirte más, Dios mío?

Mi padre no sabe nada, no sospecha nada. Más vale así.

Adiós. Hasta dentro de pocos días, que nos veremos y abrazaremos.

¡Qué mudado va usted a encontrarme! ¡Qué lleno de amargura mi corazón! ¡Cuán perdida la inocencia! ¡Qué herida y qué lastimada mi alma!

---

[14] *indinote:* derivado de *indino* y éste a su vez de *indigno*; voz familiar que se aplica a las personas traviesas o descaradas.

[15] *malos chupeles te tragelen el drupo*: expresión gitana que significa 'malos perros te coman el cuerpo'.

[16] *túrdigas:* tiras de pellejo.

II

PARALIPÓMENOS[17]

[...]

Don Pedro de Vargas se levantó sobresaltado cuando le dijeron que venía su hijo herido[18]. Acudió a verle; examinó las contusiones y la herida del brazo, y vio que no eran de cuidado; pero puso el grito en el cielo diciendo que iba a tomar venganza de aquella ofensa, y no se tranquilizó hasta que supo el lance y que don Luis había sabido tomar venganza por sí, a pesar de su teología.

El médico vino poco después a curar a don Luis, y pronosticó que en tres o cuatro días estaría don Luis para salir a la calle como si tal cosa. El conde, en cambio, tenía para meses. Su vida, sin embargo, no corría peligro. Había vuelto de su desmayo y había pedido que le llevasen a su pueblo, que no dista más que una legua del lugar en que pasaron estos sucesos. Habían buscado un carricoche de alquiler y le habían llevado, yendo en su compañía su criado y los dos forasteros que le sirvieron de testigos.

A los cuatro días del lance se cumplieron, en efecto, los pronósticos del doctor, y don Luis, aunque magullado de los golpes y con la herida abierta aún, estuvo en estado de salir, y prometiendo un restablecimiento completo en plazo muy breve.

El primer deber que don Luis creyó que necesitaba cumplir, no bien le dieron de alta, fue confesar a su padre sus amores con Pepita y declararle su intención de casarse con ella.

[...]

Don Pedro sacó del bolsillo unos papeles, y leyó lo que sigue:

Carta del deán

«Mi querido hermano: Siento en el alma tener que darte una mala noticia; pero confío en Dios que habrá de concederte paciencia y sufrimientos bastantes para que no te enoje y acibare demasiado. Luisi-

---

[17] *Paralipómenos:* palabra griega que significa 'cosas omitidas', porque la segunda parte, a semejanza de los dos libros del Antiguo Testamento que llevan este nombre, añade episodios no relatados.

[18] El conde de Genazahar insultó a Pepita y don Luis le respondió con un sermón. En el momento en que cuelga los hábitos piensa que debe lavar el honor de su novia de otra manera y busca al conde para promover una pelea, en la cual él lleva la mejor parte, aunque sufre alguna herida superficial.

to me escribe hace días extrañas cartas, donde descubro, al través de su exaltación mística, una inclinación harto terrenal y pecaminosa hacia cierta viudita, guapa, traviesa y coquetísima que hay en ese lugar. Yo me había engañado hasta aquí, creyendo firme la vocación de Luisito, y me lisonjeaba de dar en él a la Iglesia de Dios un sacerdote sabio, virtuoso y ejemplar; pero las cartas referidas han venido a destruir mis ilusiones. [...] te escribo hoy a fin de que, pretextando cualquiera cosa, envíes o traigas a Luisito por aquí cuanto antes mejor.»

Don Luis escuchaba en silencio y con los ojos bajos. Su padre continuó:

–A esta carta del deán contesté lo que sigue:

Contestación.

«Hermano querido y venerable padre espiritual: Mil gracias te doy por las noticias que me envías y por tus avisos y consejos. Aunque me precio de listo, confieso mi torpeza en esta ocasión. La vanidad me cegaba. Pepita Jiménez, desde que vino mi hijo, se me mostraba tan afable y cariñosa que yo me las prometía felices. Ha sido menester tu carta para hacerme caer en la cuenta. Ahora comprendo que, al haberse humanizado, al hacerme tantas fiestas y al bailarme el agua delante, no miraba en mí la pícara Pepita, sino al papá del teólogo barbilampiño. No te lo negaré: me mortificó y afligió un poco este desengaño en el primer momento; pero después lo reflexioné todo con la madurez debida, y mi mortificación y mi aflicción se convirtieron en gozo. [...] Sueño ya con verle casado. Me voy a remozar contemplando a la gentil pareja unida por el amor. ¿Y cuando me den unos cuantos chiquillos?[19] [...] Ya te lo diré al darte parte de la boda, para que vengas a hacerla o envíes a los novios tu bendición y un buen regalo.»

Así acabó don Pedro de leer su carta, y al volver a mirar a don Luis, vio que don Luis había estado escuchando con los ojos llenos de lágrimas.

El padre y el hijo se dieron un abrazo muy apretado y muy prolongado.

Al mes justo de esta conversación y de esta lectura, se celebraron las bodas de don Luis de Vargas y de Pepita Jiménez.

[...]

---

[19] El tono optimista de la obra se palpa en la fácil solución que tiene el conflicto: el padre de Luis acepta con facilidad cambiar su papel de hombre seductor por el de abuelo feliz.

EL INFLUJO NATURALISTA

Determinismo ambiental; lo feo, lo ruin, lo sórdido

Los pazos de Ulloa es una de las novelas más representativas del naturalismo en España. En ella pueden apreciarse varias de las características de la tendencia naturalista: la influencia del medio ambiente en la conducta de los personajes, así como numerosas descripciones y escenas en las que se acentúan los rasgos de fealdad, de miseria material y espiritual de personas y cosas.

EMILIA PARDO BAZÁN

(1851-1921)

Nació en La Coruña de familia aristocrática. Adquirió una sólida formación y permaneció a lo largo de su vida muy atenta a las innovaciones de la cultura europea.

Su actividad literaria presenta dos vertientes distintas: la crítica literaria y la creación novelística. En la primera hay que destacar la atención que prestó a la aparición del naturalismo, cuyas teorías analiza en *La cuestión palpitante* (1883). También percibió con prontitud las tendencias neocristianas de la literatura europea y escribió en 1887 *La revolución y la novela en Rusia.*

En cuanto a la novela, una parte de ella recibe las influencias naturalistas, atenuadas por sus particulares creencias. Esto ocurre en *Los pazos de Ulloa, La madre naturaleza, La Tribuna* y otras. A partir de 1890 triunfan en sus novelas los valores espirituales. Muestra de ello son *Una cristiana, La quimera* y *La sirena negra.*

LOS PAZOS DE ULLOA
(1886)

Don Pedro Moscoso, marqués de Ulloa, vive en sus pazos de forma agreste y poco refinada, rodeado de unos sirvientes que tienen atada su voluntad para poder disponer de sus bienes. El más peligroso de todos, Primitivo, ha usurpado las funciones de administrador y nada se mueve en los pazos sin su consentimiento. Para dominar más ha procurado la unión de su hija, una sirvienta del pazo, con el marqués, de quien tiene un hijo. En esta situación llega un capellán joven, ingenuo y de carácter débil, que trata de encarrilar la vida del marqués haciendo que busque una buena esposa en la ciudad. La llegada de ésta a los pazos parece que va a modificar muchas cosas, sin embargo el ambiente es mucho más poderoso que la fuerza de los personajes.

Portada de una edición antigua de Los pazos de Ulloa *(Biblioteca Nacional, Madrid).*

II

Era noche cerrada, sin luna, cuando desembocaron en el soto, tras del cual se eleva la ancha mole de los pazos[1] de Ulloa. No consentía la oscuridad distinguir más que sus imponentes proporciones, escondiéndose las líneas y detalles en la negrura del ambiente. Ninguna luz brillaba en el vasto edificio, y la gran puerta central parecía cerrada a piedra y lodo. Dirigióse el marqués a un postigo lateral muy bajo, donde al punto apareció una mujer corpulenta alumbrando con un candil.

[...]

A tiempo que la comitiva entraba en la cocina, hallábase acurrucada junto al pote una vieja, que sólo pudo Julián Álvarez distinguir un instante –con greñas blancas y rudas como cerro, que le caían sobre los ojos y cara rojiza al reflejo del fuego–, pues no bien advirtió que venía gente, levantóse más aprisa de lo que permitían sus años, y murmurando en voz quejumbrosa y humilde: «Buenas *nochiñas* nos dé Dios», se desvaneció como una sombra, sin que nadie pudiese notar por dónde. El marqués se encaró con la moza.

–¿No tengo dicho que no quiero aquí pendones?

Y ella contestó apaciblemente, colgando el candil en la pilastra de la chimenea:

–No hacía mal...; me ayudaba a pelar castañas.

Tal vez iba el marqués a echar la casa abajo, si Primitivo, con mayor imperio y enojo que su amo mismo, no terciase en la cuestión, reprendiendo a la muchacha.

–¿Qué estás «parolando»[2] ahí...? Mejor te fuera tener la comida lista. A ver cómo nos la das corriendito. Menéate, despabílate.

En el esconce[3] de la cocina, una mesa de roble, denegrida por el uso, mostraba extendido un mantel, grosero, manchado de vino y grasa. Primitivo, después de soltar en un rincón la escopeta, vaciaba su morral, del cual salieron dos perdigones y una liebre muerta, con los ojos empapados y el pelaje maculado de sangraza. Apartó la muchacha a un lado el botín, y fue colocando platos de peltre, cubiertos de anti-

---

[1] *pazo*: casa solariega enclavada en el campo gallego.

[2] *parolar*: hablar; es voz gallega.

[3] *esconce*: rincón.

gua y maciza plata, un mollete[4] enorme en el centro de la mesa y un jarro de vino proporcionado al pan; luego se dio prisa a revolver y destapar tarteras, y tomó del vasar una sopera magna. De nuevo la increpó airadamente el marqués:

–¿Y los perros, vamos a ver? ¿Y los perros?

Como si también los perros comprendiesen su derecho a ser atendidos antes que nadie, acudieron desde el rincón más oscuro y, olvidando el cansancio, exhalaron famélicos bostezos, meneando la cola y husmeando con el partido hocico. Julián creyó al pronto que se había aumentado el número de canes, tres antes y cuatro ahora; pero al entrar el grupo canino en el círculo de viva luz que proyectaba el fuego, advirtió que lo que tomaba por otro perro no era sino un rapazuelo de tres a cuatro años, cuyo vestido, compuesto de chaquetón acastañado y calzones de blanca estopa, podía desde lejos equivocarse con la piel bicolor de los perdigueros, con quienes parecía vivir el chiquillo en la mejor inteligencia y más estrecha fraternidad. Primitivo y la moza disponían en cubetas de palo el festín de los animales, entresacado de lo mejor y más grueso del pote; y el marqués –que vigilaba la operación–, no dándose por satisfecho, escudriñó con una cuchara de hierro las profundidades del caldo, hasta sacar a luz tres gruesas tajadas de cerdo, que fue distribuyendo en las cubetas. Lanzaban los perros alaridos entrecortados, de interrogación y deseo, sin atreverse aún a tomar posesión de la pitanza; a una voz de Primitivo, sumieron del golpe el hocico en ella, oyéndose el batir de sus apresuradas mandíbulas y el chasqueo de su lengua glotona. El chiquillo gateaba por entre las patas de los perdigueros, que, convertidos en fieras por el primer impulso del hambre no saciada todavía, le miraban de reojo, regañando los dientes y exhalando ronquidos amenazadores; de pronto, la criatura, incitada por el tasajo que sobrenadaba en la cubeta de la perra *Chula*, tendió la mano para cogerlo, y la perra, torciendo la cabeza, lanzó una feroz dentellada, que por fortuna sólo alcanzó la manga del chico, obligándole a refugiarse más que de prisa, asustado y lloriqueando, entre las sayas de la moza, ya ocupada en servir caldo a los racionales. Julián, que empezaba a descalzarse los guantes, se compadeció del chiquillo, y, bajándose, le tomó en brazos, pudiendo ver que, a pesar de la mugre, la roña, el miedo y el llanto, era el más hermoso angelote del mundo.

–¡Pobre! –murmuró cariñosamente–. ¿Te ha mordido la perra? ¿Te hizo sangre? Dónde te duele, ¿me lo dices? Calla, que vamos a reñirle a la perra nosotros. ¡Pícara, malvada!

---

[4] *mollete*: pan de forma redondeada.

Reparó el capellán que estas palabras suyas produjeron singular afecto en el marqués. Se contrajo su fisonomía, sus cejas se fruncieron, y arrancándole a Julián el chiquillo, con brusco movimiento le sentó en sus rodillas, palpándole las manos a ver si las tenía mordidas o lastimadas. Seguro ya de que sólo el chaquetón había padecido, soltó la risa.

–¡Farsante! –gritó–. Ni siquiera te ha tocado la *Chula*. ¿Y tú para qué vas a meterte con ella? Un día te come media nalga, y después lagrimitas. ¡A callarse y reírse ahora mismo! ¿En qué se conocen los valientes?

Diciendo así, colmaba de vino su vaso, y se lo presentaba al niño, que, cogiéndolo sin vacilar, lo apuró de un sorbo. El marqués aplaudió:

–¡Retebién! ¡Viva la gente templada!

–No, lo que es el rapaz..., el rapaz sale de punta –murmuró el abad de Ulloa.

–¿Y no le hará daño tanto vino? –objetó Julián, que sería incapaz de bebérselo él.

–¡Daño! Sí, buen daño nos dé Dios –respondió el marqués, con no sé qué inflexiones de orgullo en el acento–. ¡Déle otros tres y ya verá!... ¿Quiere usted que hagamos la prueba?

–Los chupa, los chupa –afirmó el abad.

–No, señor; no señor... Es capaz de morirse el pequeño... He oído que el vino es un veneno para las criaturas... Lo que tendrá será hambre.

–Sabel, que coma el chiquillo –ordenó imperiosamente el marqués, dirigiéndose a la criada.

Ésta, silenciosa e inmóvil durante la anterior escena, sacó un repleto cuenco de caldo, y el niño fue a sentarse en el borde del llar, para engullirlo sosegadamente.

[...]

Primitivo volvía ya de su excursión, empuñando en cada mano una botella cubierta de polvo y telarañas. A falta de tirabuzón, se descorcharon con un cuchillo, y a un tiempo se llenaron los vasos chicos traídos *ad hoc*[5]. Primitivo empinaba el codo con sumo desparpajo, bromeando con el abad y el señorito. Sabel, por su parte, a medida que el banquete se prolongaba y el licor calentaba las cabezas, servía con familiaridad mayor, apoyándose en la mesa para reír algún chiste de los

[5] *ad hoc*: expresión latina que significa 'a tal efecto', 'para tal uso'.

que hacían bajar los ojos a Julián, bisoño en materia de sobremesas de cazadores. Lo cierto es que Julián bajaba la vista, no tanto por lo que oía como por no ver a Sabel, cuyo aspecto, desde el primer instante, le había desagradado de extraño modo, a pesar o quizá a causa de que Sabel era un buen pedazo de lozanísima carne. Sus ojos azules, húmedos y sumisos, su color animado, su pelo castaño, que se rizaba en conchas paralelas y caía en dos trenzas hasta más abajo del talle, embellecían mucho a la muchacha y disimulaban sus defectos, lo pomuloso de su cara, lo tozudo y bajo de su frente, lo sensual de su respingada y abierta nariz. Por no mirar a Sabel, Julián se fijaba en el chiquillo, que, envalentonado con aquella ojeada simpática, fue poco a poco deslizándose hasta llegar a introducirse en las rodillas del capellán. Instalado allí, alzó su cara desvergonzada y risueña, y tirando a Julián del chaleco, murmuró en tono suplicante:

–¿Me lo da?

Todo el mundo se reía a carcajadas; el capellán no comprendía.

–¿Qué pide? –preguntó.

–¿Qué ha de pedir? –respondió el marqués festivamente–. ¡El vino, hombre! ¡El vaso de tostado!

–¡Mamá! –exclamó el abad.

Antes que Julián se resolviese a dar al niño su vaso casi lleno, el marqués había aupado al mocoso, que sería realmente una preciosidad a no estar tan sucio. Parecíase a Sabel, y aun se le aventajaba en la claridad y alegría de sus ojos celestes, en lo abundante del pelo ensortijado y especialmente en el correcto diseño de las facciones. Sus manitas, morenas y hoyosas, se tendían hacia el vino color de topacio: el marqués se lo acercó a la boca, divirtiéndose un rato en quitárselo cuando ya el rapaz creía ser dueño de él. Por fin consiguió el niño atrapar el vaso, y en un decir Jesús trasegó el contenido, relamiéndose.

–¡Éste no se anda con requisitos! –exclamó el abad.

–¡Quia! –confirmó el marqués–. ¡Si es un veterano! ¿A que te zampas otro vaso, Perucho?

Las pupilas del angelote rechispeaban; sus mejillas despedían lumbre, y dilataba la clásica naricilla con inocente concupiscencia de Baco[6] niño. El abad, guiñando picarescamente el ojo izquierdo, escancióle otro vaso, que él tomó a dos manos y se embocó sin perder gota; en seguida soltó la risa, y antes de acabar el redoble de su carcajada báquica dejó caer la cabeza, muy descolorido, en el pecho del marqués.

---

[6] *Baco*: dios del vino en la mitología griega. Líneas más abajo aparece el adjetivo derivado de Baco: báquico.

–¿Lo ven ustedes? –gritó Julián angustiadísimo–. Es muy chiquito para beber así, y va a ponerse malo. Estas cosas no son para criaturas.

–¡Bah! –intervino Primitivo–. ¿Piensa que el rapaz no puede con lo que tiene dentro? ¡Con eso y con otro tanto! Y si no, verá.

A su vez tomó en brazos al niño, y, mojando en agua fresca los dedos, se los pasó por las sienes. Perucho abrió los párpados, miró alrededor con asombro y su cara se sonroseó.

–¿Qué tal? –le preguntó Primitivo–. ¿Hay ánimos para otro «pinguita» de tostado?

Volvióse Perucho hacia la botella, y luego, como instintivamente, dijo que no con la cabeza, sacudiendo la poblada zalea de sus rizos. No era Primitivo hombre de darse por vencido tan fácilmente: sepultó la mano en el bolsillo del pantalón y sacó una moneda de cobre.

–De ese modo... –refunfuñó el abad.

–No seas bárbaro, Primitivo –murmuró el marqués, entre placentero y grave.

–¡Por Dios y por la Virgen! –imploró Julián–. ¡Van a matar a esa criatura! Hombre, no se empeñe en emborrachar al niño; es un pecado, un pecado tan grande como otro cualquiera. ¡No se pueden presenciar ciertas cosas!

Al protestar, Julián se había incorporado, encendido de indignación, echando a un lado su mansedumbre y timidez congénitas. Primitivo, en pie también, mas sin soltar a Perucho, miró al capellán fría y socarronamente, con el desdén de los tenaces por los que se exaltan un momento. Y metiendo en la mano del niño la moneda de cobre y entre sus labios la botella destapada y terciada aún de vino, la inclinó, la mantuvo así hasta que todo el licor pasó al estómago de Perucho. Retirada la botella, los ojos del niño se cerraron, se aflojaron sus brazos y, no ya descolorido, sino con la palidez de la muerte en el rostro, hubiera caído redondo sobre la mesa, a no sostenerle Primitivo. El marqués, un tanto serio, empezó a inundar de agua fría la frente y los pulsos del niño; Sabel se acercó y ayudó también a la aspersión; todo inútil: lo que es por esta vez, Perucho «la tenía».

–Como un pellejo –gruñó el abad.

–Como una cuba –murmuró el marqués–. A la cama con él en seguida. Que duerma, y mañana estará más fresco que una lechuga. Esto no es nada.

Sabel se alejó cargada con el niño, cuyas piernas se balanceaban inertes a cada movimiento de su madre. La cena se acabó menos bulliciosa de lo que empezara: Primitivo, hablaba poco, y Julián había enmudecido por completo.

[...]

VII

[...]

Julián [...] creyó llegada la ocasión de dar un golpe diplomático.

–Señor marqués..., ¿quiere que tomemos un poco el aire? Está la noche muy buena... Nos pasearemos por el huerto...

Y para sus adentros pensaba:

«En el huerto le digo que me voy también... No se ha hecho para mí esta vida ni esta casa.»

Salieron al huerto. Oíase el croar de las ranas en el estanque, pero ni una hoja de los árboles se movía: tal estaba la noche de serena. El capellán cobró ánimos, pues la oscuridad alienta mucho a decir cosas difíciles.

–Señor marqués, yo siento tener que advertirle...

Volvióse el marqués bruscamente.

–¡Ya sé...! ¡Chis...! No necesitamos gastar saliva. Me ha pescado usted[7] en uno de esos momentos en que el hombre no es dueño de sí... Dicen que no se debe pegar nunca a las mujeres... Francamente, don Julián, según ellas sean... Hay mujeres de mujeres, ¡caramba!..., y ciertas cosas acabarían con la paciencia del santo Job que resucitase. Lo que siento es el golpe que le tocó al chiquillo.

–Yo no me refería a eso... –murmuró Julián–. Pero si quiere que le hable con el corazón en la mano, como es mi deber, creo no está bien maltratar así a nadie..., y por tardanza de la cena, no merece...

–¡La tardanza de la cena! –prorrumpió el señorito–. ¡La tardanza! A ningún cristiano le gusta pasarse el día en el monte comiendo frío y llegar a casa y no encontrar bocado caliente; ¡pero si esa mala hembra no tuviese otras mañas...! ¿No la ha visto usted? ¿No la ha visto usted todo el día, allá en Naya, bailoteando como una descosida, sin vergüenza? ¿No la ha encontrado usted a la vuelta, bien acompañada? ¡Ah!... ¿Usted cree que se vienen solitas las mozas de su calaña? ¡Ja, ja,

---

[7] El marqués ha golpeado violentamente a Sabel.

ja! ¡Yo la he visto con estos ojos, y le aseguro a usted que si tengo algún pesar es el de no haberle roto una pierna para que no baile más por unos cuantos meses!

Guardó silencio el capellán, sin saber qué responder a la inesperada revelación de celos feroces. Al fin calculó que se le abría camino para soltar lo que tenía atravesado en la garganta.

–Señor marqués –murmuró–, dispénseme la libertad que me tomo... Una persona de su clase no se debe rebajar a importársele por lo que haga o no la criada... La gente es maliciosa y pensará que usted trata con esa chica... Digo, «¡pensará!» Ya lo piensa todo el mundo... Y el caso es que yo..., vamos..., no puedo permanecer en una casa donde, según la voz pública, vive un cristiano en concubinato... Nos está prohibido severamente autorizar con nuestra presencia el escándalo y hacernos cómplices de él. Lo siento a par del alma, señor marqués; puede creerme que hace tiempo no tuve un disgusto igual.

El marqués se detuvo con las manos sepultadas en los bolsillos.

–*Leria, leria*...[8] –murmuró–. Es preciso hacerse cargo de lo que es la juventud y la robustez... No me predique un sermón, no me pida imposibles. ¡Qué diantre! El que más y el que menos es hombre como todos.

–Yo soy un pecador –replicó Julián–, solamente que veo claro en este asunto, y por los favores que debo a usted y el pan que le he comido, estoy obligado a decir la verdad. Señor marqués, con franqueza, ¿no le pesa de vivir así encenagado? ¡Una cosa tan inferior a su categoría y a su nacimiento! ¡Una triste criada de cocina!

Siguieron andando, acercándose a la linde del bosque, donde concluía el huerto.

–¡Una bribona desorejada, que es lo peor! –exclamó el marqués, después de un rato de silencio–. Oiga usted... –añadió, arrimándose a un castaño–. A esa mujer, a Primitivo, a la condenada bruja de la *Sabia*, con sus hijas y nietas, a toda esa gavilla que hace de mi casa merienda de negros, a la aldea entera que los encubre, era preciso cogerlos así (y agarraba una rama del castaño triturándola en menudos fragmentos) y deshacerlos. Me están saqueando, me comen vivo...; y cuando pienso en que esa tunanta me aborrece y se va de mejor gana con cualquier gañán de los que acuden descalzos a alquilarse para majar el centeno, ¡tengo mientes de aplastarle los sesos como a una víbora!

Julián oía estupefacto aquellas miserias de la vida pecadora y se admiraba de lo bien que teje el diablo sus redes.

[8] *leria*: broma; en el texto equivale a 'déjese de bromas'.

–Pero, señor... –balbució–. Si usted mismo lo conoce y lo comprende.

–¿Pues no lo he de comprender? ¿Soy estúpido acaso para no ver que esa desvergonzada huye de mí, y cada día tengo que cazarla como a una liebre? ¡Sólo está contenta entre los demás labriegos, con la hechicera que le trae y lleva chismes y recados a los mozos! A mí me detesta. A la hora menos pensada me envenenará.

–Señor marqués, ¡yo me pasmo! –arguyó el capellán eficazmente–. ¡Que usted se apure por una cosa tan fácil de arreglar! ¿Tiene más que poner a semejante mujer en la calle?

Como ambos interlocutores se habían acostumbrado a la oscuridad, no sólo vio Julián que el marqués meneaba la cabeza, sino que torcía el gesto.

–Bien se habla... –pronunció sordamente–. Decir es una cosa y hacer es otra... Las dificultades se tocan en la práctica. Si echo a ese enemigo, no encuentro quien me guise ni quien venga a servirme. Su padre... ¿Usted no lo creerá? Su padre tiene amenazadas a todas las mozas de que a la que entre aquí en marchándose su hija, le mete él una perdigonada en los lomos. Y saben que es hombre para hacerlo como lo dice. Un día cogí yo a Sabel por un brazo y la puse en la puerta de la casa: la misma noche se me despidieron las otras criadas. Primitivo se fingió enfermo, y estuve una semana comiendo en la rectoral[9] y haciéndome la cama yo mismo... Y tuve que pedirle a Sabel, de favor, que volviese... Desengáñese usted: pueden más que nosotros. Esa comparsa que traen alrededor son paniaguados suyos, que los obedecen ciegamente. ¿Piensa usted que yo ahorro un ochavo aquí en este desierto? ¡Quia! Vive a mi cuenta toda la parroquia. Ellos se beben mi cosecha de vino, mantienen sus gallinas con mis frutos; mis montes y sotos les suministran leña, mis hórreos les surten de pan; la renta se cobra tarde, mal y arrastro; yo sostengo siete u ocho vacas, y la leche que bebo cabe en el hueco de la mano; en mis establos hay un rebaño de bueyes y terneros que jamás se uncen para labrar mis tierras; se compran con mi dinero, eso sí, pero luego se dan en aparcería y no se me rinden cuentas jamás.

–¿Por qué no pone otro mayordomo?

–¡Ay, ay, ay! ¡Como quien no dice nada! Una de dos: o sería hechura de Primitivo, y entonces estábamos en lo mismo, o Primitivo le largaría un tiro en la barriga... Y si hemos de decir verdad, Primitivo no es mayordomo... Es peor que si lo fuese, porque manda en todos, incluso en mí, pero yo no le he dado jamás semejante mayordomía...

....

[9] *rectoral:* casa del párroco.

Aquí el mayordomo fue siempre el capellán... Ese Primitivo no sabrá casi leer ni escribir, pero es más listo que una centella, y ya en vida de tío Gabriel se echaba mano de él para todo... Mire usted; lo cierto es que el día que él se cruza de brazos se encuentra uno colgadito... No hablemos ya de la caza, que para eso no tiene par; a mí me faltarían los pies y las manos si me faltase Primitivo... Pero en los demás asuntos es igual... Su antecesor de usted, el abad de Ulloa, no se valía sin él; y usted, que también ha venido en concepto de administrador, séame franco: ¿ha podido usted amañarse solo?

–La verdad es que no –declaró Julián humildemente–. Pero con el tiempo..., la práctica...

–¡Bah, bah! A usted no le obedecerá ni le hará caso jamás ningún paisano, porque es usted un infeliz, es usted demasiado bonachón. Ellos necesitan gente que conozca sus máculas[10] y les dé ciento de ventaja en picardía.

Por depresiva que fuese para el amor propio del capellán la observación, hubo de reconocer su exactitud. No obstante, picado ya, se propuso agotar los recursos del ingenio para conseguir la victoria en lucha tan desigual. Y su caletre le sugirió la siguiente perogrullada:

–Pero, señor marqués..., ¿por qué no sale un poco al pueblo? ¿No sería ese el mejor modo de desenredarse? Me admiro de que un señorito como usted pueda aguantar todo el año aquí sin moverse de estas montañas fieras... ¿no se aburre?

[...]

VIII

[...]

Se volvió. ¿Quién había de conocer a don Pedro, tan metamorfoseado como venía? Afeitado también, aunque sin detrimento de su barba, que brillaba suavizada por el aceite de olor; trascendiendo a jabón y ropa limpia, vestido con traje de mezclilla, chaleco de piqué blanco, hongo azul, y al brazo un abrigo, parecía el señor de Ulloa otro hombre nuevo y diferente, con veinte grados más de educación y cultura que el antiguo. De golpe lo comprendió todo Julián..., y la sangre le dio gozoso vuelco.

....

[10] *mácula:* mancha, defecto.

–¡Señorito!

–¡Ea!, despachar, que corre prisa... Tiene usted que acompañarme a Santiago, y necesitamos llegar a Cebre antes de mediodía.

[...]

IX

Como ya dos veces había repicado la campanilla y los criados no llevaban trazas de abrir, las señoritas De la Lage, suponiendo que a horas tan tempranas no vendría nadie «de cumplido», bajaron en persona y en grupo a abrir la puerta, sin peinar, de bata y chinelas, hechas unas fachas. Así es que se quedaron voladas al encontrarse con un arrogante mozo, que les decía campechanamente:

–¿A que nadie me conoce aquí?

Sintieron impulsos de echar a correr; pero la tercera la menos linda de todas, frisando al parecer en los veinte años, murmuró:

–De fijo que es el primo Perucho Moscoso.

–¡Bravo! –exclamó don Pedro–. ¡Aquí está la más lista de la familia!

Y, adelantándose con los brazos abiertos, fue para abrazarla; pero ella, hurtando el cuerpo, le tendió una manecita fresca, recién lavada con agua y colonia. En seguida se entró por la casa, gritando:

–¡Papá! ¡Papá! ¡Está aquí el primo Perucho!

El piso retembló bajo unos pasos elefantinos... Apareció el señor De la Lage, llenando con su volumen la antesala, y don Pedro abrazó a su tío, que le llevó casi en volandas al salón.

[...]

Mostró admirarse de la buena presencia del sobrino, y le habló llanotamente, para inspirarle confianza.

–¡Muchacho, muchacho! ¿Adónde vas con tanto doblar? Cuidado que estás más hombre que yo... Siempre te imitaste más a Gabriel y a mí que a tu madre, que santa gloria haya... Lo que es con tu padre, ni esto... No saliste Moscoso ni Cabreira, chico; saliste Pardo por los cuatro costados. Ya habrás visto a tus primas, ¿eh? Chiquillas, ¿qué le decís al primo?

–¿Qué me dicen? Me han recibido como a la persona de más cumplimiento... A ésta le quise dar un abrazo, y ella me alargó la mano muy fina.

–¡Qué borregas! ¡María Remilgos! A ver cómo abrazáis todas al primo, inmediatamente.

[...]

Y se frotaba las manos colosales, sonriendo a una idea que, si acariciada tiempo hacia allá en su interior, jamás se le había presentado tan clara y halagüeña como entonces. ¡Qué mejor esposo podían desear sus hijas que el primo Ulloa!

[...]

Hallábase don Pedro en sus glorias. Al resolverse a emprender el viaje, receló que las primas fuesen algunas señoritas muy cumplimenteras y espetadas, cosa que a él le pondría en un brete, por serle extrañas las fórmulas del trato ceremonioso con damas de calidad, clase de «perdices blancas» que nunca había cazado; mas aquel recibimiento franco le devolvió al punto su aplomo. Animado, y con la cálida sangre despierta consideraba a las primitas una por una, calculando a cuál arrojaría el pañuelo. La menor no hay duda era muy linda, blanca con cabos[11]negros, alta y esbelta; pero la mal disimulada pasión de ánimo, las cárdenas ojeras, amenguaban su atractivo para don Pedro, que no estaba por romanticismos. En cuanto a la tercera, Nucha[12], asemejábase bastante a la menor, sólo que en feo: sus ojos, de magnífico tamaño, negros también como moras, padecían leve estrabismo convergente, lo cual daba a su mirar una vaguedad y pudor especiales; no era alta, ni sus facciones se pasaban de correctas, a excepción de la boca, que era una miniatura. En suma: pocos encantos físicos, al menos para los que se pagan de la cantidad y morbidez en esta nuestra envoltura de barro. Manolita ofrecía otro tipo distinto, admirándose en ella lozanas carnes y suma gracia, unida a un defecto que para muchos es aumento singular de perfección en la mujer, y a otros, verbigracia, a don Pedro, les inspira repulsión: un carácter masculino mezclado a los hechizos femeniles, un bozo que iba pasando a bigote, una prolongación del nacimiento del pelo sobre la oreja, que, descendiendo a lo largo de la mandíbula, quería ser, más que suave patilla, atrevida barba. A la que no se podían poner tachas era a Rita, la hermana mayor. Lo que más cautivaba a su primo en Rita no era tanto la belleza del rostro como la

---

[11] *cabos:* cabellos.
[12] *Nucha:* Marcelinucha.

cumplida proporción del tronco y miembros, la amplitud y redondez de la cadera, el desarrollo del seno, todo cuanto en las valientes y armónicas curvas de su briosa persona prometía la madre fecunda y la nodriza inexhausta. ¡Soberbio vaso, en verdad, para encerrar un Moscoso legítimo, magnífico patrón donde injertar el heredero, el continuador del nombre! El marqués presentía en tan arrogante hembra, no el placer de los sentidos, sino la numerosa y masculina[13] prole que debía rendir; bien como el agricultor que ante un terreno fértil no se prenda de las florecillas que lo esmaltan, pero calcula aproximadamente la cosecha que podrá rendir al terminarse el estío.

[...]

XI

[...]

Estremecióse de placer don Manuel Pardo viendo al sobrino entrar a su despacho una mañana, con la expresión indefinible que se nota en el rostro y continente de quien viene a tratar algo de importancia. Había oído don Manuel que, donde hay varias hermanas, lo difícil es deshacerse de la primera, y después las otras se desprenden de suyo, como las cuentas de una sarta tras la más próxima al cabo del hilo. Colocada Rita, lo demás eran tortas y pan pintado. [...] Lo que recibió fue un escopetazo.

–¿Por qué se asusta usted tanto, tío? –exclamaba don Pedro, gozando en sus adentros con la mortificación y asombro del viejo hidalgo–. ¿Hay impedimento? ¿Tiene Nucha otro novio?

Comenzó don Manuel a poner mil objeciones, callándose algunas que no eran para dichas. Salió la corta edad de la muchacha, su delicada salud, y hasta su poca hermosura alegó el padre, sazonando la observación con alusiones no muy reservadas al buen palmito de Rita y al mal gusto de no preferirla. [...] Luego, encarándose con el marqués, le interrogó:

–¿Y qué dice esa mosquita muerta de Nucha? Vamos a ver.

–Usted se lo preguntará, tío... ¡Yo no le dije cosa de sustancia!... Ya vamos viejos para andar haciendo cocos.

....

[13] En un sistema de mayorazgos (en derecho, institución según la cual la propiedad de los bienes pasa al hijo mayor de la familia) solamente los varones eran descendencia valiosa.

[...]

Casáronse al anochecer, en una parroquia solitaria. Vestía la novia de rico gro[14] negro, mantilla de blonda y aderezo de brillantes. Al regresar, hubo refresco para la familia y amigos íntimos solamente: un refresco a la antigua española, con almíbares, sorbetes, chocolate, vino generoso, bizcochos, dulces variadísimos, todo servido en macizas salvillas y bandejas de plata, con gran etiqueta y compostura. No adornaban la mesa flores, a no ser las rosas de trapo de las tartas o ramilletes de piñonate; dos candelabros con bujías, altos como mecheros de catafalco, solemnizaban el comedor; y los convidados, transidos aún del miedo que infunde el terrible sacramento del matrimonio visto de cerca, hablaban bajito, lo mismo que en un duelo, esmerándose en evitar hasta el repique de las cucharillas en la loza de los platos. Parecía aquello la comida postrera de los reos de muerte. [...] Todos estaban –es la frase de cajón– muy afectados, incluso el señorito De la Formoseda, que acaso pensaba «cuando la barba de tu vecino...», y Julián, que viendo colmados sus deseos y votos ardentísimos, triunfante su candidatura, sentía no obstante en el corazón un peso raro, como si algún presentimiento cruel se lo abrumase.

[...]

XIII

Transcurrido algún tiempo de vida familiar con suegro y cuñadas, don Pedro echó de menos la huronera[15]. No se acostumbraba a la metrópoli arzobispal. Ahogábanle las altas tapias verdosas, los soportales angostos, los edificios de lóbrego zaguán y escalera sombría que le parecían calabozos y mazmorras. Fastidiábale vivir allí donde tres gotas de lluvia meten en casa a todo el mundo y engendran instantáneamente una triste vegetación de hongos de seda, de enormes paraguas. Le incomodaba la perenne sinfonía de la lluvia que se deslizaba por los canalones abajo o reteñía en los charcos causados por la depresión de las baldosas.

[...]

Impaciente ya, resolvió don Pedro la marcha antes que pase la inclemencia del invierno, a fines de un marzo muy esquivo y desapa-

---

[14] *gro:* tela de seda sin brillo.
[15] *huronera*: madriguera del hurón; se refiere a su casa.

cible. Salía el coche para Cebre tan de madrugada, que no se veía casi; hacía un frío cruel, y Nucha, acurrucada en el rincón del incómodo vehículo, se llevaba a menudo el pañuelo a los ojos, por lo cual su marido la interpeló con poca blandura:

–Parece que vienes de mala gana conmigo.

–¡Qué cosas tienes! –respondió la muchacha, destapando el rostro y sonriendo–. Es natural que sienta dejar al pobre papá y..., y a las chicas.

[...]

XVIII

Largos días estuvo Nucha detenida ante esas lóbregas puertas que llaman de la muerte, con un pie en el umbral, como diciendo: «¿Entraré? ¿No entraré?» Empujábanla hacia adentro las horribles torturas físicas que habían sacudido sus nervios, la fiebre devoradora que trastornó su cerebro al invadir su pecho la ola de la leche inútil, el desconsuelo de no poder ofrecer a su niña aquel licor que la ahogaba, la extenuación de su ser, del cual la vida huía gota a gota sin que atajarla fuese posible. Pero la solicitaban hacia fuera la juventud, el ansia de existir que estimula a todo organismo, la ciencia del gran higienista[16] Juncal, y particularmente una manita pequeña, coloradilla, blanda, un puñito cerrado que asomaba entre los encajes de una chambra[17] y los dobleces de un mantón.

El primer día que Julián pudo ver a la enferma no hacía muchos que se levantaba, para tenderse, envuelta en mantas y abrigos, sobre vetusto y ancho canapé. No le era lícito incorporarse aún y su cabeza reposaba en almohadones doblados. Su rostro enflaquecido y exangüe amarilleaba como una faz de imagen de marfil, entre el marco de negro cabello reluciente. Bizcaba más, por habérsele debilitado mucho aquellos días el nervio óptico. Sonrió con dulzura al capellán y le señaló una silla. Julián clavaba en ella esa mirada donde rebosa la compasión, mirada delatora que en vano queremos sujetar y apagar cuando nos aproximamos a un enfermo grave.

–La encuentro a usted con muy buen semblante, señorita –dijo el capellán, mintiendo como un bellaco.

---

[16] *higienista:* médico.

[17] *chambra:* prenda de vestir que cubre la parte superior del cuerpo.

–Pues usted –respondió ella lánguidamente– algo desmejorado está.

[...]

No era la primera vez que observaba Julián, desde el parto, gran tristeza en la señorita. El capellán había recibido una carta de su madre, que encerraba quizá la clave de los disgustos de Nucha.

Parece que la señorita Rita había engatusado de tal manera a la tía vieja de Orense, que ésta la dejaba por heredera universal, desheredando a su ahijada.

[...]

El capellán perfeccionaba sus nociones del arte de tener un chico en brazos sin que llore ni rabie [...] y el presbítero empezaba a querer a la niña con ceguera, a figurarse que si la viese morir se moriría él también, y otros muchos dislates por el estilo, que cohonestaba con la idea que, al fin, la chiquilla era un ángel. No se cansaba de admirarla, de devorarla con los ojos, de considerar sus pupilas, líquidas y misteriosas, como anegadas en leche en cuyo fondo parecía reposar la serenidad misma.

Una penosa idea le ocurría de cuando en cuando. Acordábase de que había soñado con instituir en aquella casa el matrimonio cristiano cortado por el patrón de la Sacra Familia. Pues bien; el santo grupo estaba disuelto; allí faltaba San José o le sustituía un clérigo, que era peor. No se veía al marqués casi nunca; desde el nacimiento de la niña, en vez de mostrarse más casero y sociable, volvía a las andadas, a su vida de cacerías, de excursiones a casa de los abades e hidalgos que poseían buenos perros y gustaban del monte, a los cazaderos lejanos. Pasábase a veces una semana fuera de los pazos de Ulloa. Su hablar era más áspero, su genio más egoísta e impaciente, sus deseos y órdenes se expresaban en forma más dura. Y aún notaba Julián otros alarmantes indicios. Le inquietaba ver que Sabel recibía otra vez su antigua corte de sultana favorita, y que la *Sabia* y su progenie, con todas las parleras comadres y astrosos mendigos de la parroquia, pululaban allí, huyendo a escape cuando él se acercaba, llevando en el seno o bajo el mandil bultos sospechosos. Perucho ya no se ocultaba, antes le encontraba por todas partes enredado en los pies, y en suma, las cosas iban tornando al ser y estado que tuvieron antes.

Trataba el bueno del capellán de comulgarse a sí propio con ruedas de molino diciéndose que aquello no significaba «nada»; pero la maldita casualidad se empeñó en abrirle los ojos cuando no quisiera. Una mañana que madrugó más de lo acostumbrado para decir su misa resolvió advertir a Sabel que le tuviese dispuesto el chocolate dentro de media hora. Inútilmente llamó a su cuarto, situado cerca de la torre en que Julián dormía. Bajó con esperanza de encontrarla en la cocina, y al pasar ante la puerta del gran despacho próximo al archivo, donde se había instalado don Pedro desde el nacimiento de su hija, vio salir de allí a la moza, con descuidado traje y soñolienta. Las reglas psicológicas aplicables a las conciencias culpadas exigían que Sabel se turbase: quien se turbó fue Julián.

[...]

XXVII

[...]

A la misa, en la capilla remozada, asistía Nucha, oyéndola toda de rodillas y retirándose cuando Julián daba gracias. Sin volverse ni distraerse en la oración, Julián conocía el instante en que se levantaba la señorita y el ruido imperceptible de sus pisadas sobre el entarimado nuevo. Cierta mañana no lo oyó. Este hecho tan sencillo le privó de rezar con sosiego.

[...]

–¿Julián? –preguntó con imperioso acento, extraño en ella.

–Señorita... –respondió él en voz baja, por respeto al lugar sagrado. Tembláronle los labios, y las manos se le enfriaron, pues creyó llegado el terrible momento de la confesión.

–Tenemos que hablar. Y ha de ser aquí, por fuerza. En otras partes no falta quien aceche.

–Es verdad que no falta.

–¿Hará usted lo que le pida?

–Ya sabe que...

–¿Sea lo que sea?

–Yo...

Su turbación crecía; el corazón le latía con sordo ruido. Se recostó en el altar.

–Es preciso –declaró Nucha sin apartar de él sus ojos, más que vagos, extraviados ya– que me ayude usted a salir de aquí. De esta casa.

–A... a... salir... –tartamudeó Julián, aturdido.

–Quiero marcharme. Llevarme a mi niña. Volverme con mi padre. Para conseguirlo, hay que guardar el secreto. Si lo saben aquí, me encerrarán con llave. Me apartarán de la pequeña. Sé de fijo que la matarán.

El tono, la expresión, la actitud, eran como de quien tiene perturbadas sus facultades mentales; de mujer impulsada por excitaciones nerviosas que raya en desvarío.

–Señorita... –articuló el capellán, no menos alterado–, no esté en pie, no esté en pie... Siéntese en este banquito... Hablemos con tranquilidad... Ya conozco que tiene disgustos, señorita... Se necesita paciencia, prudencia... Cálmese...

Nucha se dejó caer en el banco. Respiraba fatigosamente, con sobrealiento penoso. Sus orejas, blanquecinas y despegadas del cráneo, transparentaban la luz. Habiendo tomado aliento, habló con cierta serenidad.

–¡Paciencia y prudencia! Tengo cuanta cabe en una mujer. Aquí no viene al cabo disimular: ya sabe usted cuándo empezó a clavárseme la espina; desde aquel día me propuse averiguar la verdad, y... no me costó gran trabajo. Digo, sí; me costó un combate... En fin, eso es lo que menos importa. Por mí no pensaría en irme, pues no estoy buena y se me figura que... duraré poco...; pero... ¿y la niña?

–La niña...

–La van a matar, Julián, esas... gentes. ¿No ve usted que les estorba? Pero ¿no lo ve usted?

–Por Dios le pido que se sosiegue... Hablemos con calma, con juicio...

–¡Estoy harta de tener calma! –exclamó con enfado Nucha, como el que oye una gran simpleza–. He rogado, he rogado... He agotado todos los medios... No aguardo, no puedo aguardar más. Esperé a que se acabasen las elecciones dichosas, porque creía que saldríamos de aquí, y entonces se me pasaría el miedo... Yo tengo miedo en esta casa, ya lo sabe usted, Julián; miedo horrible... Sobre todo de noche...

[...]

–Ya desde que llegué..., esta casa tan grande y tan antigua... –prosiguió Nucha– me dio frío en el corazón... Sólo que ahora..., no son tonterías de chiquilla mimada, no... Me van a matar a la pequeña... ¡Usted lo verá! Así que la dejo con el ama, estoy en brasas... Acabemos pronto... Esto se va a resolver ahora mismo. Acudo a usted, porque no puedo confiarme a nadie más... Usted quiere a mi niña.

–Lo que es quererla... –balbució Julián, casi afónico de puro enternecido.

–Estoy sola, sola... –replicó Nucha, pasándose la mano por las mejillas; su voz sonaba como entrecortada por lágrimas que contenía–. Pensé en confesarme con usted; pero... buena confesión te dé Dios... No obedecería si usted me mandase quedarme aquí... Ya sé que es mi obligación: la mujer no debe apartarse del marido. Mi resolución cuando me casé era...

Detúvose de pronto, y, careándose con Julián, le preguntó:

–¿No le parece a usted, como a mí, que este casamiento tenía que salir mal? Mi hermana Rita ya era casi novia del primo cuando él me pidió... Sin culpa mía, quedamos reñidas Rita y yo desde entonces... No sé cómo fue aquello; bien sabe Dios que no puse nada de mi parte para que Pedro se fijase en mí. Papá me aconsejó que de todos modos, me casase con el primo... Yo seguí el consejo... Me propuse ser buena, quererle mucho, obedecerle, cuidar de mis hijos... Dígame usted, Julián: ¿he faltado en algo?

[...]

XXX

Diez años[18] son una etapa, no sólo en la vida del individuo, sino en la de las naciones. Diez años comprenden un período de renovación; diez años rara vez corren en balde, y el que mira hacia atrás suele sorprenderse del camino que se anda en una década. Mas así como hay personas, hay lugares para los cuales es insensible el paso de una décima parte del siglo. Ahí están los pazos de Ulloa, que no me dejarán mentir. La gran huronera desafiando al tiempo, permanece tan sombría, tan adusta como siempre. Ninguna innovación útil o bella se nota en su moblaje, en su huerto, en sus tierras de cultivo. Los lobos del escudo de armas no se han amansado; el pino no echa renuevos; las mismas ondas simétricas de agua petrificada bañan los estribos de la puente señorial.

[...]

Quien ha envejecido bastante, de un modo prematuro, es el antiguo capellán de los pazos. Su pelo está estriado de rayitas argenta-

---

[18] Deshecho el plan de huida de Nucha y expulsado el capellán, se produce en la novela un salto narrativo. Diez años más tarde vuelve Julián y a través de su evocación se narra retrospectiva e indirectamente la muerte de Nucha.

das; su boca se sume, sus ojos se empañan, se encorvan sus lomos. Avanza despaciosamente por el «carrero»[19] angosto que serpea entre viñedos y matorrales conduciendo a la iglesia de Ulloa.

¡Qué iglesia tan pobre! Más bien parece la casuca de un aldeano, conociéndose únicamente su sagrado destino en la cruz que corona el tejadillo del pórtico. La impresión es de melancolía y humedad; el atrio herboso está a todas horas, aun a las meridianas, muy salpicado y como empapado de rocío.

[...]

Al pisar el atrio de Ulloa notaba una impresión singularísima. Parecíale que alguna persona muy querida, muy querida para él, andaba por allí, resucitada, viviente, envolviéndole en su presencia, calentándole con su aliento. ¿Y quién podía ser esa persona? ¡Válgame Dios! ¡Pues no daba ahora en el dislate de creer que la señora de Moscoso vivía, a pesar de haber leído su esquela de defunción! Tan rara alucinación era, sin duda, causada por la vuelta a Ulloa después de un paréntesis de dos lustros. ¡La muerte de la señora de Moscoso! Nada más fácil que cerciorarse de ella... Allí estaba el cementerio. Acercarse a un muro coronado de hiedra, empujar una puerta de madera y penetrar en su recinto.

Era un lugar sombrío, aunque le faltasen los lánguidos sauces y cipreses que también acompañan con sus acritudes teatrales y majestuosas la solemnidad de los camposantos. Limitábanlo, de otra parte, las tapias de la iglesia; de otra, tres murallones revestidos de hiedra y plantas parásitas; y la puerta, fronteriza a la de entrada por el atrio, la formaban un enverjado de madera al través del cual se veía diáfano y remoto horizonte de montañas, a la sazón color violeta, por la hora, que era aquella en que el sol, sin calentar mucho todavía, empieza a subir hacia el cenit, y en que la Naturaleza se despierta como saliendo de un baño, estremecida de frescura y frío matinal. Sobre la verja se inclinaba añoso olivo, donde nidaban mil gorriones alborotadores, que a veces azotaban y sacudían el ramaje con su voleteo apresurado; y hacíale frente una enorme mata de hortensia, mustia y doblegada por las lluvias de la estación, graciosamente enfermiza, con sus mazorcas de desmayadas flores azules y amarillentas. A esto se reducía todo el ornato del cementerio, mas no su vegetación, que por lo exuberante y viciosa ponía en el alma repugnancia y supersticioso pavor, induciendo a fan-

---

[19] *carrero:* camino de carros.

tasear si en aquellas robustas ortigas, altas como la mitad de una persona; en aquella hierba crasa; en aquellos cardos vigorosos, cuyos pétalos ostentaban matices flavos de cirio, se habrían encarnado, por misteriosa transmigración, las almas vegetativas también, en cierto modo, de los que allí dormían para siempre, sin haber vivido, sin haber amado, sin haber palpitado jamás por ninguna idea elevada, generosa, puramente espiritual y abstracta, de las que agitan la conciencia del pensador y del artista. [...] Un soplo helado, un olor peculiar de moho y podredumbre, un verdadero ambiente sepulcral se alzaba del suelo lleno de altibajos, rehenchidos de difuntos amontonados unos encima de otros; y entre la verdura húmeda surcada del surco brillante que dejan tras sí el caracol y la babosa, torcíanse las cruces de madera negra fileteadas de blanco, con rótulos curiosos, cuajados de faltas de ortografía y peregrinos disparates. [...] Al punto mismo se alzó de la cruz una mariposilla blanca, de esas últimas mariposas del año que vuelan despacio, como encogidas por la frialdad de la atmósfera, y se paran en seguida en el primer sitio favorable que encuentran. La siguió el nuevo cura de Ulloa, y la vio posarse en un mezquino mausoleo, arrinconado entre la esquina de la tapia y el ángulo entrante que formaba la pared de la iglesia.

Allí se detuvo el insecto, y allí también Julián, con el corazón palpitante, con la vista nublada, y el espíritu, por vez primera después de largos años, trastornado y enteramente fuera de quicio, al choque de una conmoción tan honda y extraordinaria, que él mismo no hubiera podido explicarse cómo le invadía avasallándole y sacándole de su natural ser y estado, rompiendo diques, salvando vallas, venciendo obstáculos, atropellando por todo, imponiéndose con la sobrehumana potencia de los sentimientos largo tiempo comprimidos y al fin dueños absolutos del alma porque rebosan de ella, porque la inundan y sumergen. No echó de ver siquiera la ridiculez del mausoleo, construido con piedra y cal, decorado con calaveras, huesos y otros emblemas fúnebres por la inexperta mano de algún embadurnador de aldea; no necesitó deletrear la inscripción, porque sabía de seguro que donde se había detenido la mariposa allí descansaba Nucha, la señorita Marcelina, la santa, la víctima, la virgencita siempre cándida y celeste. Allí estaba, sola, abandonada, vencida, ultrajada, calumniada, con las muñecas heridas por mano brutal y el rostro marchito por la enfermedad, el terror y el dolor... Pensando en esto, la oración se interrumpió en labios de Julián; la corriente del existir retrocedió diez años, y en un transporte de los que en él eran poco frecuentes, pero súbitos e irresistibles, cayó de hinojos, abrió los brazos, besó ardientemente la pared del nicho sollozando como niño o mujer, frotando las mejillas contra la fría superficie; clavando las uñas en la cal, hasta arrancarla...

Oyó risas, cuchicheos, jarana alegre, impropia del lugar y la ocasión. Se volvió y se incorporó confuso. Tenía delante una pareja hechicera, iluminada por el sol que ya ascendía aproximándose a la mitad del cielo. Era el muchacho el más guapo adolescente que puede soñar la fantasía; y si de chiquitín se parecía al Amor antiguo, la prolongación de líneas que distingue a la pubertad de la infancia le daba ahora semejanza notable con los arcángeles y ángeles viajeros de los grabados bíblicos, que unen a la lindeza femenina y a los rizados bucles rasgos de graciosa severidad varonil. En cuanto a la niña, espigadita para sus once años, hería el corazón de Julián por el sorprendente parecido con su pobre madre a la misma edad: idénticas largas trenzas negras, idéntico rostro pálido, pero más mate, más moreno, de óvalo más correcto, de ojos más luminosos y mirada más firme. ¡Vaya si conocía Julián a la pareja! ¡Cuántas veces la había tenido en brazos!

Sólo una circunstancia le hizo dudar de si aquellos dos muchachos encantadores eran en realidad el bastardo y la heredera legítima de Moscoso. Mientras el hijo de Sabel vestía ropa de buen paño, de hechura como entre aldeano acomodado y señorito, la hija de Nucha, cubierta con un traje de percal asaz viejo, llevaba zapatos tan rotos, que pudiera decirse que iba descalza[20].

---

[20] Aquí termina la novela, cuyo argumento se prolonga un año más tarde en *La madre naturaleza*.

Amor y erotismo

La Regenta constituye una obra maestra por la equilibrada conjunción de las principales cualidades del naturalismo. No obstante, cabe destacar el tema del adulterio como núcleo en torno al cual el autor presenta el mundo del deseo y de la pasión amorosa en el marco de una capital provinciana de la España del siglo XIX.

LEOPOLDO ALAS «CLARÍN»

(1852-1901)

Leopoldo Alas nació y pasó gran parte de su vida en Oviedo, en cuya universidad fue profesor de derecho. Hombre culto, de pensamiento profundo y con un fino sentido del humor, ejerció con gran penetración y acierto la crítica literaria, que diseminó en colaboraciones para periódicos y revistas. Su vertiente creadora cristalizó en valiosos cuentos, como *Pipá, ¡Adiós, «Cordera»!, Doña Berta* y muchos más. Solamente escribió dos novelas: *La Regenta,* considerada una de las mejores del realismo español, y *Su único hijo.* La temprana muerte de Clarín, nombre literario que adoptó, a los 50 años truncó una prometedora producción novelística.

LA REGENTA

(1884)

Ana es una mujer joven y bonita casada por su familia con un hombre mayor, don Víctor Quintanar, Regente de la ciudad de Vetusta. La obra desarrolla el drama de su insatisfacción. Pero Clarín no se limita al análisis de su espíritu delicado, sino que la rodea de un ambiente rico y complejo, poblado principalmente por la clase media-alta de la ciudad a la cual retrata –y a veces caricaturiza– con sus formas de vida, sus vicios, su mentalidad superficial y sus mezquinos intereses. Y junto a la clase acomodada aparece la Iglesia, volcada en los asuntos mundanos, luchando por mantener su poder en la ciudad y dentro de las familias. Aquellos –el círculo social de Ana– tejen una red para que caiga la codiciada Regenta y salga de su virtuosa altivez. La Iglesia, en la figura del Magistral, también desea atraparla y utiliza la pantalla de la vida espiritual para encubrir un deseo puramente humano.

Escena de La Regenta, *en una versión de 1974 para el cine.*

CAPÍTULO III

[...]

«¡Qué vida tan estúpida!», pensó Ana, pasando a reflexiones de otro género.

Aumentaba su mal humor con la conciencia de que estaba pasando un cuarto de hora de rebelión. Creía vivir sacrificada a deberes que se había impuesto; estos deberes algunas veces se los representaba como poética misión que explicaba el porqué de la vida. Entonces pensaba:

«La monotonía, la insulsez de esta existencia es aparente; mis días están ocupados por grandes cosas; este sacrificio, esta lucha es más grande que cualquier aventura del mundo.»

En otros momentos, como ahora, tascaba el freno la pasión sojuzgada; protestaba el egoísmo, la llamaba loca, romántica, necia y decía:

−¡Qué vida tan estúpida!

Esta conciencia de la rebelión la desesperaba; quería aplacarla y se irritaba. Sentía cardos en el alma. En tales horas no quería a nadie, no compadecía a nadie. En aquel instante deseaba oír música; no podía haber voz más oportuna. Y sin saber cómo, sin querer se le apareció el Teatro Real de Madrid y vio a don Álvaro Mesía, el presidente del Casino, ni más ni menos, envuelto en una capa de embozo grana, cantando bajo los balcones de Rosina[1] [...].

La imagen de don Álvaro también fue desvaneciéndose, cual un cuadro disolvente; ya no se veía más que el gabán blanco y detrás, como una filtración de luz, iban destacándose una bata escocesa a cuadros, un gorro verde de terciopelo y oro, con borla, un bigote y una perilla blancos, unas cejas grises muy espesas... y al fin sobre un fondo negro brilló entera la respetable y familiar figura de su don Víctor Quintanar con un nimbo de luz en torno. Aquél era el sujeto del sacrificio, como diría don Cayetano. Ana Ozores depositó un casto beso en la frente del caballero.

Y sintió vehementes deseos de verle, de besarle en realidad como al cuadro disolvente.

Mala hora, sin duda, era aquélla.

Pero la casualidad vino a favorecer el anhelo de la casta esposa. Se tomó el pulso, se miró las manos; no veía bien los dedos, el pulso latía con violencia; en los párpados le estallaban estrellitas, como chispas de fuegos artificiales, sí, sí, estaba mala, iba a darle el ataque; había que llamar; cogió el cordón de la campanilla, llamó. Pasaron dos minutos. ¿No oían?... Nada. Volvió a empuñar el cordón... llamó. Oyó pasos precipitados. Al mismo tiempo que por una puerta de escape entraba Petra, su doncella, asustada, casi desnuda, se abrió la colgadura granate y apareció el cuadro disolvente, el hombre de la bata escocesa y el gorro verde, con una palmatoria en la mano.

−¿Qué tienes, hija mía? −gritó don Víctor acercándose al lecho.

«Era el ataque, aunque no estaba segura de que viniese con todo el aparato nervioso de costumbre; pero los síntomas los de siempre;

[1] La figura de don Álvaro viene a la mente de Ana en forma del conde de la ópera *El barbero de Sevilla* que canta bajo los balcones de Rosina.

no veía, le estallaban chispas de brasero en los párpados y en el cerebro, se le enfriaban las manos, y de pesadas no le parecían suyas...» Petra corrió a la cocina sin esperar órdenes; ya sabía lo que se necesitaba, tila y azahar.

Don Víctor se tranquilizó. «Estaba acostumbrado al ataque de su querida esposa; padecía la infeliz, pero no era nada.»

—No pienses en ello, que ya sabes que es lo mejor.

—Sí, tienes razón; acércate, háblame, siéntate aquí.

Don Víctor se sentó sobre la cama y *depositó* un beso paternal en la frente de su señora esposa. Ella le apretó la cabeza contra su pecho y derramó algunas lágrimas. Notadas que fueron las cuales por don Víctor exclamó éste:

—¿Ves? ya lloras; buena señal. La tormenta de nervios se deshace en agua; está conjurado el ataque, verás como no sigue.

En efecto, Ana comenzó a sentirse mejor. Hablaron. Ella manifestó una ternura que él le agradeció en lo que valía.

[...]

—¿No quisieras tener un hijo, Víctor? —preguntó la esposa apoyando la cabeza en el pecho del marido.

—¡Con mil amores! —contestó el ex-regente buscando en su corazón la fibra del amor paternal. No la encontró; y para figurarse algo parecido pensó en su reclamo de perdiz, escogidísimo regalo de Frígilis[2].

«Si mi mujer supiera que sólo puedo disponer de dos horas y media de descanso, me dejaría volver a la cama.»

Pero la pobrecita lo ignoraba todo, debía ignorarlo. Más de media hora tardó la Regenta en cansarse de aquella locuacidad nerviosa. ¡Qué de proyectos!, ¡qué de horizontes de color de rosa! Y siempre, siempre juntos Víctor y ella.

—¿Verdad?

—Sí, hijita mía, sí; pero debes descansar; te exaltas hablando...

—Tienes razón; siento una fatiga dulce... Voy a dormir.

Él se inclinó para besarle la frente, pero ella echándole los brazos al cuello y hacia atrás la cabeza, recibió en los labios el beso. Don Víctor se puso un poco encarnado; sintió hervir la sangre. Pero no se

[2] Apodo de don Tomás Crespo, amigo de don Víctor, que al hacer algún comentario sobre las debilidades humanas decía chistosamente «somos *frígilis*», en vez de frágiles.

atrevió. Además, antes de tres horas debía estar camino del Montico con la escopeta al hombro. Si se quedaba con su mujer, adiós cacería... Y Frígilis era inexorable en esta materia. Todo lo perdonaba menos faltar o llegar tarde a un madrugón por el estilo.

«Sálvense los principios», pensó el cazador.

–¡Buenas noches, tórtola mía!

Y se acordó de las que tenía en la pajarera.

Y después de *depositar* otro beso, por propia iniciativa, en la frente de Ana, salió de la alcoba con la palmatoria en la diestra mano; con la izquierda levantó el cortinaje granate; volvióse, saludó a su esposa con una sonrisa, y con majestuoso paso, no obstante calzar bordadas zapatillas, se restituyó a su habitación que estaba al otro extremo del caserón de los Ozores.

[...]

Equilibrado el ánimo, volvió don Víctor al amor de las sábanas.

En aquella estancia dormían años atrás, en la cama dorada de Anita, él y ella, amantes esposos. Pero... habían coincidido en una idea.

A ella la molestaba él con sus madrugones de cazador; a él le molestaba ella porque le hacía sacrificarse y madrugar menos de lo que debía, por no despertarla. Además, los pájaros estaban en una especie de destierro, muy lejos del amo. Traerlos cerca estando allí Anita sería una crueldad; no la dejarían dormir la mañana. Pero él ¡con qué deleite hubiera saboreado el primer silbido del tordo, el arrullo voluptuoso de las tórtolas, el monótono ritmo de la codorniz, el chas, chas cacofónico, dulce al cazador, de la perdiz huraña!

No se recuerda quién, pero él piensa que Anita, se atrevió a manifestar el deseo de una separación en cuanto al tálamo –*quo ad thorum*–. Fue acogida con mal disimulado júbilo la proposición tímida, y el matrimonio mejor avenido del mundo dividió el lecho. Ella se fue al otro extremo del caserón, que era caliente porque estaba al Mediodía, y él se quedó en su alcoba. Pudo Anita dormir en adelante la mañana, sin que nadie interrumpiera esta delicia; y pudo Quintanar levantarse con la aurora y recrear el oído con los cercanos conciertos matutinos de codornices, tordos, perdices, tórtolas y canarios. Si algo faltaba antes para la completa armonía de aquella pareja, ya estaba colmada su felicidad doméstica, por lo que toca a la concordia.

[...]

CAPÍTULO VIII

[...]

[Don Álvaro] Mesía hablaba de la Regenta con Visita con más franqueza que con Paco. Su *política* tenía que ser diferente. Al Marquesito había que hablarle de amor puro, por los motivos explicados antes; a Visita de una conquista más. Comprendía don Álvaro que Visitación quería precipitar a la Regenta en el agujero negro donde habían caído ella y tantas otras. Visita era amiga de Ana desde que ésta había venido a Vetusta[3] con su tía doña Anunciación y con Ripamilán, el hoy Arcipreste. Admiraba a su amiguita, elogiaba su hermosura y su virtud; pero la hermosura la molestaba como a todas, y la virtud la volvía loca. Quería ver aquel armiño en el lodo. La aburría tanta alabanza. Todo Vetusta diciendo: «¡La Regenta, la Regenta es inexpugnable!». Al cabo llegaba a cansar aquella canción eterna. Hasta el modo de llamarla era tonto. ¡La Regenta! ¿Por qué? ¿No había otra? Ella lo había sido en Vetusta poco tiempo. Su marido había dejado la carrera muy pronto, ¿a qué venía aquello de Regenta por aquí, Regenta por allí? Poco tiempo tenía la mujer del empleado del Banco para consagrarle a estas malas pasiones de pura fantasía y mala intención; necesitaba la atención para la prosa de la vida que era bien difícil; pero algún desahogo había de tener; pues bien, éste, procurar que Ana fuese al fin y al cabo como todas. No se separaba de ella en cuanto podía: a la iglesia, al paseo, al teatro, iban juntas casi siempre, aunque Ana iba pocas veces. La del Banco, desde que había descubierto algún interés por don Álvaro en su amiga y en Mesía deseos de vencer aquella virtud, no pensaba más que en precipitar lo que en su concepto era necesario. No creía a nadie capaz de resistir a su antiguo novio.

En cuanto estaban solos, hablaban de aquel asunto.

Álvaro negaba que hubiese por su parte amor; era un capricho fuerte arraigado en él por las dificultades.

[...]

–Y ella es hermosa, Alvarín, hermosa, hermosa; eso te lo juro yo.

–Sí, eso a la vista está.

–No, no todo está a la vista como comprendes. Y como ella no hace lo que esa otra –apuntaba con el dedo pulgar hacia atrás, donde

---

[3] *Vetusta:* nombre literario de Oviedo, ciudad donde transcurre la obra.

se oía el cuchicheo de Paco y Obdulia–, como Ana jamás se aprieta con cintas y poleas las enaguas y la falda... ni se embute... ¡Si la vieras!

–Me lo figuro.

–No es lo mismo.

[...]

–¿Te acuerdas de aquella danza de las Bacantes[4]? Pues eso parece, sólo que mucho mejor; una bacante como serían las de verdad, si las hubo allá, en esos países que dicen. Eso parece cuando se retuerce. ¡Cómo se ríe cuando está en el ataque! Tiene los ojos llenos de lágrimas, y en la boca unos pliegues tentadores, y dentro de la remonísima garganta suenan unos ruidos, unos ayes, unas quejas subterráneas; parece que allá dentro se lamenta el amor siempre callado y en prisiones ¡qué sé yo! ¡Suspira de un modo, da unos abrazos a las almohadas! ¡Y se encoge con una pereza! Cualquiera diría que en los ataques tiene pesadillas, y que rabia de celos o se muere de amor... Ese estúpido de don Víctor con sus pájaros y sus comedias, y su Frígilis el de los gallos en injerto[5], no es un hombre. Todo esto es una injusticia; el mundo no debía ser así. Y no es así. Sois los hombres los que habéis inventado toda esa farsa.

[...]

–Ella no está como un guante, pero por dentro andará la procesión. Menudean los ataques de nervios. Ya sabes que cuando se casó cesaron, que después volvieron, pero nunca con la frecuencia de ahora. Su humor es desigual. Exagera la severidad con que juzga a las demás, la aburre todo. ¡Pasa unas encerronas!

–¡Ta, ta, ta! eso no es decir nada.

–Es mucho.

–Nada en mi favor.

–¿Tú qué sabes? Mira, si le hablan de ti palidece o se pone como un tomate, enmudece y después cambia de conversación en cuanto puede hablar. En el teatro, en el momento en que tú vuelves la cara, te clava los ojos, y cuando el público está más atento a la escena y ella cree que nadie la observa, te clava los gemelos. Pero la observo yo; por curiosidad, claro; porque a mí, en último caso ¿qué? Su alma su palma.

–¿No eres su amiga íntima?

[4] *Bacantes:* sacerdotisas de Baco que danzaban en estado de ebriedad.
[5] *gallos en injerto:* alude a los experimentos científicos que realiza Frígilis.

–Su amiga, sí. ¿Íntima? Ella no tiene más intimidades que las de dentro de su cabeza. Tiene ese defectillo; es muy cavilosa y todo se lo guarda. Por ella no sabré nunca nada.

Un momento de silencio.

–A no ser que ahora se lo cuente todo al Magistral[6]... Ya sabrás que le ha tomado de confesor.

–Sí, eso dicen; creo que es cosa del Arcipreste, que se cansa de asistir al confesonario.

–No, es cosa de ella; tiene otra vez sus proyectos de misticismo.

Visita llamaba misticismo a toda devoción que no fuera como la suya, que no era devoción.

[...]

CAPÍTULO X

[...]

Ana bajó a la huerta, olvidada ya de la carta que quería escribir. [...]

«¡Qué hermosa noche! Pero ¿quién era ella para admirar la noche serena? ¿Qué tenía que ver toda aquella poesía melancólica de cielo y tierra con lo que le sucedía a ella?» [...]

«Pero no importaba; ella se moría de hastío. Tenía veintisiete años, la juventud huía; veintisiete años de mujer eran la puerta de la vejez a que ya estaba llamando... y no había gozado una sola vez esas delicias del amor de que hablan todos, que son el asunto de comedias, novelas y hasta de la historia. El amor es lo único que vale la pena de vivir, había ella oído y leído muchas veces. Pero ¿qué amor? ¿Dónde estaba ese amor? Ella no lo conocía. Y recordaba entre avergonzada y furiosa que su luna de miel había sido una excitación inútil, una alarma de los sentidos, un sarcasmo en el fondo; sí, sí, ¿para qué ocultárselo a sí misma si a voces se lo estaba diciendo el recuerdo?: la primer noche, al despertar en su lecho de esposa, sintió junto a sí la respiración de un magistrado; le pareció un despropósito y una desfachatez que ya que estaba allí dentro el señor Quintanar, no estuviera con su levita larga de tricot y su pantalón negro de castor; recordaba que las delicias materia-

---

[6] Don Fermín de Pas, el Magistral, a quien Ana revela en confesión parte de su mundo interior. Es sensible a los encantos de Ana.

les, irremediables, la avergonzaban, y se reían de ella al mismo tiempo que la aturdían: el gozar sin querer junto a aquel hombre le sonaba como la frase del miércoles de ceniza, *quia pulvis es*!, eres polvo, eres materia..., pero al mismo tiempo se aclaraba el sentido de todo aquello que había leído en sus mitologías, de lo que había oído a criados y pastores murmurar con malicia... ¡Lo que aquello era y lo que podía haber sido...! Y en aquel presidio de castidad no le quedaba ni el consuelo de ser tenida por mártir y heroína. [...]»

[...]

Ana, lánguida, desmayado el ánimo, apoyó la cabeza en las barras frías de la gran puerta de hierro que era la entrada del *Parque* por la calle de Traslacerca. Así estuvo mucho tiempo, mirando las tinieblas de fuera, abstraída en su dolor, sueltas las riendas de la voluntad, como las del pensamiento que iba y venía, sin saber por dónde, a merced de impulsos de que no tenía conciencia.

Casi tocando con la frente de Ana, metida entre dos hierros, pasó un bulto por la calle solitaria pegado a la pared del *Parque*.

«¡Es él!», pensó la Regenta, que conoció a don Álvaro, aunque la aparición fue momentánea; y retrocedió asustada. Dudaba si había pasado por la calle o por su cerebro.

Era don Álvaro en efecto. Estaba en el teatro, pero en un entreacto se le ocurrió salir a satisfacer una curiosidad intensa que había sentido. «Si por casualidad estuviese en el balcón... No estará, es casi seguro, pero ¿si estuviese?» ¿No tenía él la vida llena de felices accidentes de este género? ¿No debía a la buena suerte, a la *chance* que decía don Álvaro, gran parte de sus triunfos? ¡Yo y la ocasión! Era una de sus divisas. ¡Oh! si la veía, la hablaba, le decía que sin ella ya no podía vivir, que venía a rondar su casa como un enamorado de veinte años platónico y romántico, que se contentaba con ver por fuera aquel paraíso... Sí, todas estas sandeces le diría con la elocuencia que ya se le ocurriría a su debido tiempo. El caso era que, por casualidad, estuviese en el balcón. Salió del teatro. [...] Al acercarse a la puerta, pegado a la pared, por huir del fango, Mesía creyó sentir la corazonada verdadera, la que él llamaba así, porque era como una adivinación instantánea, una especie de doble vista. Sus mayores triunfos de todos géneros habían venido así, con la corazonada verdadera, sintiendo él de repente, poco antes de la victoria, un valor insólito, una seguridad absoluta; latidos en las sienes, sangre en las mejillas, angustia en la garganta... Se paró. «Estaba allí la Regenta, allí en el Parque, se lo decía aquello que estaba sintiendo... ¿Qué haría si el corazón no le engañaba? Lo de siempre en tales casos; ¡jugar el todo por el todo! Pedirla de rodillas sobre el lodo, que abriera; y si se negaba, saltar la verja, aunque era poco menos que imposible; pero, sí, la saltaría. ¡Si volviera a salir la luna! No, no saldría; la nube era inmensa y muy espesa; tardaría media hora la claridad.»

Llegó a la verja; él vio a la Regenta primero que ella a él. La conoció, la adivinó antes.

«–¡Es tuya! –le gritó el demonio de la seducción–; te adora, te espera.»

Pero no pudo hablar, no pudo detenerse. Tuvo miedo a su víctima. La superstición vetustense respecto de la virtud de Ana la sintió él en sí; aquella virtud, como el Cid, ahuyentaba al enemigo después de muerta acaso; él huir; ¡lo que nunca había hecho! Tenía miedo... ¡la primera vez!

Siguió; dio tres, cuatro pasos más sin resolverse a volver pie atrás, por más que el demonio de la seducción le sujetaba los brazos, le atraía hacia la puerta y se le burlaba con palabras de fuego al oído llamándole: «¡Cobarde, seductor de meretrices...! ¡Atrévete, atrévete con la verdadera virtud; ahora o nunca...!»

–¡Ahora, ahora! –gritó Mesía con el único valor grande que tenía; y ya a diez pasos de la verja volvió atrás furioso, gritando:

–¡Ana! ¡Ana!

Le contestó el silencio. En la oscuridad del *Parque* no vio más que las sombras de los eucaliptus, acacias y castaños de Indias; y allá a lo lejos, como una pirámide negra el perfil de la *Washingtonia*[7], el único amor de Frígilis, que la plantó y vio crecer sus hojas, su tronco, sus ramas.

Esperó en vano.

–Ana, Ana –volvió a decir quedo, muy quedo; pero sólo le contestaban las hojas secas, arrastradas por el viento suave sobre la arena de los senderos.

Ana había huido. Al ver tan cerca aquella tentación que amaba, tuvo pavor, el pánico de la honradez, y corrió a esconderse en su alcoba, cerrando puertas tras de sí, como si aquel libertino osado pudiera perseguirla, atravesando la muralla del *Parque*. Sí, sentía ella que don Álvaro se infiltraba, se infiltraba en las almas, se filtraba por las piedras; en aquella casa todo se iba llenando de él, temía verle aparecer de pronto, como ante la verja del *Parque*.

---

[7] *Washingtonia:* palmera de gran tamaño.

«¿Será el demonio quien hace que sucedan estas casualidades?», pensó seriamente Ana, que no era supersticiosa.

Tenía miedo; veía su virtud y su casa bloqueadas, y acababa de ver al enemigo asomar por una brecha. Si la proximidad del crimen había despertado el instinto de la inveterada honradez, la proximidad del amor había dejado un perfume en el alma de la Regenta que empezaba a infestarse.

«¡Qué fácil era el crimen! Aquella puerta... la noche... la oscuridad... Todo se volvía cómplices. Pero ella resistiría. ¡Oh! ¡sí! Aquella tentación fuerte, prometiendo encantos, placeres desconocidos, era un enemigo digno de ella. Prefería luchar así. La lucha vulgar de la vida ordinaria, la batalla de todos los días con el hastío, el ridículo, la prosa, la fatigaban; era una guerra en un subterráneo entre fango. Pero luchar con un hombre hermoso, que acecha, que se aparece como un conjuro a un pensamiento; que llama desde la sombra; que tiene como una aureola, un perfume de amor..., esto era algo, esto era digno de ella. Lucharía.»

[...]

CAPÍTULO XIII

[...]

La Marquesa, sin malicia, como ella hacía las cosas, llamó a su lado a Anita para decirla:

–Ven acá, ven acá, a ver si a ti te hace más caso que a nosotras este señor displicente.

–¿De qué se trata?

–De don Fermín, que no quiere venir al Vivero.

El don Fermín, que ya tenía las mejillas algo encendidas por culpa de las libaciones[8] más frecuentes que de costumbre, se puso como una cereza cuando vio a la Regenta mirarle cara a cara y decir con verdadera pena:

–Oh, por Dios, no sea usted así, mire que nos da a todos un disgusto; acompáñenos usted, señor Magistral...

En el gesto, en la mirada de la Regenta podía ver cualquiera y lo vieron De Pas y don Álvaro, sincera expresión de disgusto: era una contrariedad para ella la noticia que le daba la Marquesa.

_____

[8] _libaciones_: de _libar_, en el sentido de 'tomar bebidas alcohólicas'.

Por el alma de don Álvaro pasó una emoción parecida a una quemadura; él, que conocía la materia, no dudó en calificar de celos aquello que había sentido. Le dio ira el sentirlo. «Quería decirse que aquella mujer le interesaba más de veras de lo que él creyera; y había obstáculos, y ¡de qué género! ¡Un cura! Un cura guapo, había que confesarlo...» Y entonces, los ojos apagados del elegante Mesía brillaron al clavarse en el Magistral, que sintió el choque de la mirada y la resistió con la suya, erizando las puntas que tenía en las pupilas entre tanta blandura. A don Fermín le asustó la impresión que le produjo, más que las palabras, el gesto de Ana; sintió un agradecimiento dulcísimo, un calor en las entrañas completamente nuevo; ya no se trataba allí de la vanidad suavemente halagada, sino de unas fibras del corazón que no sabía él cómo sonaban. «¡Qué diablos es esto!», pensó De Pas; y entonces precisamente fue cuando se encontró con los ojos de don Álvaro; fue una mirada que se convirtió, al chocar, en un desafío; una mirada de esas que dan bofetadas; nadie lo notó más que ellos y la Regenta. Estaban ambos en pie, cerca uno de otro, los dos arrogantes, esbeltos; la ceñida levita de Mesía, correcta, severa, ostentaba su gravedad con no menos dignas y elegantes líneas que el manteo ampuloso, hierático del clérigo, que relucía al sol, cayendo hasta la tierra.

«Ambos le parecieron a la Regenta hermosos, interesantes, algo como San Miguel y el Diablo, pero el Diablo cuando era Luzbel[9] todavía; el Diablo Arcángel también; los dos pensaban en ella, era seguro; don Fermín como un amigo protector, el otro como un enemigo de su honra, pero amante de su belleza; ella daría la victoria al que la merecía, al ángel bueno, que era un poco menos alto, que no tenía bigote (que siempre parecía bien), pero que era gallardo, apuesto a su modo, como se puede ser debajo de una sotana. Se tenía que confesar la Regenta, aunque pensando un instante nada más en ello, que la complacía encontrar a su salvador tan airoso y bizarro; tan distinguido, como decía Obdulia, que en esto tenía razón. Y sobre todo, aquellos dos hombres mirándose así por ella, reclamando cada cual con distinto fin la victoria, la conquista de su voluntad, eran algo que rompía la monotonía de la vida vetustense, algo que interesaba, que podía ser dramático, que ya empezaba a serlo. El honor, aquella quisicosa que andaba siempre en los versos que recitaba su marido, estaba a salvo; ya se sabe, no había que pensar en él; pero bueno sería que un hombre de tan-

---

[9] *Luzbel*: arcángel que se rebela contra Dios y es arrojado a los infiernos convirtiéndose en Lucifer o Satán. Se le representa a veces luchando con San Miguel, el jefe de los arcángeles.

ta inteligencia como el Magistral la defendiera contra los ataques más o menos temibles del buen mozo, que tampoco era rana, que estaba demostrando mucho tacto, gran prudencia y, lo que era peor, un interés verdadero por ella. Eso sí, ya estaba convencida, don Álvaro no quería vencerla por capricho, ni por vanidad, sino por verdadero amor; de fijo aquel hombre hubiera preferido encontrarla soltera. En rigor, don Víctor era un respetable estorbo. Pero ella le quería, estaba segura de ello, le quería con un cariño filial, mezclado de cierta confianza conyugal, que valía por lo menos tanto, a su modo, como una pasión de otro género. Y además, si no fuera por don Víctor, el Magistral no tendría por qué defenderla, ni aquella lucha entre dos hombres *distinguidos* que comenzaba aquella tarde tendría razón de ser. No había que olvidar que don Fermín no la quería ni la podía querer para sí, sino para don Víctor.»

[...]

CAPÍTULO XXII

[...]

Don Álvaro no iba a casa de los Ozores sino muy de tarde en tarde y sólo hacía visitas de cumplido, muy breves. ¿Por qué así?, preguntaba don Víctor. Y con medias palabras, su amigo le daba a entender que la Regenta le recibía con mala voluntad y que a él no le gustaba estorbar. Además, no era él solo el que se retraía. El mismo Paco, el Marquesito, que en otro tiempo no hacía más que entrar y salir, ahora apenas parecía[10] por aquella casa. Visitación también iba de tarde en tarde, la Marquesa casi nunca, y así de todos los amigos y amigas; el Magistral y sólo el Magistral. Aquel buen señor «hacía el vacío», en derredor de la Regenta. Ella estaba contenta, no parecía echar de menos a nadie; pero él, don Víctor, no era de la misma opinión; quería trato, conversación, amena compañía.

[...]

Quintanar [...] cada día se encontraba más incapaz de oponerse a la *perniciosa influencia*. No sabía más que poner mala cara y parar poco en casa.

....

[10] *parecía:* aparecía.

Con esto sólo consiguió que la Regenta y el Magistral conviniesen en verse más a menudo fuera del caserón y menos veces en él. «Mejor era hablarse en casa de doña Petronila[11]. ¿Para qué molestar al pobre don Víctor? Ya que amistades nocivas le apartaban otra vez del buen camino y le envenenaban el alma con insinuaciones malévolas, con sospechas torpes e impías, más valía dejarle en paz, apartar de su vista el espectáculo inocente, mas para él poco agradable, de dos almas hermanas que viven unidas, con lazo fuerte, en la piedad y el idealismo más poético.»

En casa de doña Petronila, en el salón de balcones discretamente entornados, de alfombra de fieltro gris, era donde pasaban horas y horas los dos amigos del alma, hablando de intereses espirituales, como decía el Gran Constantino[12], sin más testigo que el gato blanco, cada vez más gordo, que iba y venía sin ruido, y se frotaba el lomo contra las faldas de la Regenta y el manteo del Magistral, cada día más familiarmente.

Anita notaba en don Fermín una palidez interesante, grandes cercos amoratados junto a los ojos, y una fatiga en la voz y en el aliento que la ponía en cuidado.

Le suplicaba que se cuidase, se lo pedía con voz de madre cariñosa que ruega al hijo de sus entrañas que tome una medicina. Él respondía sonriendo, echando fuego por los ojos, «que no tenía nada, que era aprensión, que no había que pensar en su cuerpo miserable».

Algunos días había en sus diálogos pausas embarazosas; el silencio se prolongaba molestándoles como un hablador importuno.

Los dos guardaban un secreto. Cuando creían conocerse uno a otro hasta el último rincón del alma, estaba pensando cada cual en la mala acción que cometía callando lo que callaba.

El Magistral padecía mucho siempre que Ana le hablaba de la salud que él perdía. «¡Si ella supiera!»

Resuelto a que su amistad «con aquel ángel hermoso» no acabase de mala manera, en una aventura de grosero materialismo lleno de remordimientos y dejos repugnantes; seguro de que aquella mujer ponía en aquel lazo piadoso toda la sinceridad de un alma pura, y que degradarla, caso de que se pudiera, sería hacerle perder su ma-

[11] *doña Petronila:* viuda con aspecto masculino, la más importante de las beatas de Vetusta y una admiradora incondicional de don Fermín.

[12] *Gran Constantino*: doña Petronila, apodada así porque tiene una gran fortuna que dedica a servir a la Iglesia, al igual que hizo aquel emperador romano.

CLÁSICOS ESENCIALES SANTILLANA

yor encanto; el Magistral, que vivía ya nada más de esta refinada pasión que según él no tenía nombre, luchaba con tentaciones formidables, y sólo conseguía contrarrestar las rebeliones súbitas y furiosas de la carne con armisticios vergonzosos que le parecían una especie de infidelidad. En vano pensaba: ¿qué le importa a mi doña Ana que mi corpachón de cazador montañés viva como quiera cuando me aparto de ella? Nada de mi cuerpo me pide ella; el alma es toda suya, y nada de alma pongo al saciar, lejos de su presencia, apetitos que ella misma sin saberlo excita; en vano pensaba esto, porque agudos remordimientos le pinchaban cada vez que Ana, solícita, dulce y sonriente le pedía con las manos en cruz que se cuidara, que no entregase todas sus horas al trabajo y a la penitencia. «¿Qué sería de ella sin él?»

–Figurémonos que usted se me muere: ¿qué va a ser de mí?

«Es horroroso, es horroroso –pensaba el Magistral–, pasar plaza de santo a sus ojos, y ser un pobre cuerpo de barro que vive como el barro ha de vivir. Engañar a los demás no me duele; ¡pero a ella! Y no hay más remedio.» Quería que le consolase el reflexionar que *por ella* era todo aquello, que por ella había él vuelto a sentir con vigor las pasiones de la juventud que creyera muertas, y que por ella, por respetar su pureza, se encenagaba él en antiguos charcos; pero esta idea no le consolaba, no apagaba el remordimiento.

[...]

Ana también tenía su secreto. Su piedad era sincera, su deseo de salvarse firme, su propósito de ascender de morada en morada, como decía la santa de Ávila[13], serio; pero la tentación cada día más formidable. Cuanto más horroroso le parecía el pecado de pensar en don Álvaro, más placer encontraba en él. Ya no dudaba que aquel hombre representaba para ella la perdición, pero tampoco que estaba enamorada de él cuanto en ella había de mundano, carnal, frágil y perecedero. Ya no se hubiera atrevido, como en otro tiempo, a mirarle cara a cara, a verle a su lado horas y horas, a probarle que su presencia la dejaba impasible: no, ahora huir de él, de su sombra, de su recuerdo; era el demonio, era el poderoso enemigo de Jesús. No había más remedio que huir de él; esto era humildad, lo de antes orgullo loco. A la gracia y sólo a la gracia debía el vivir pura todavía; abandonada a sí misma, Ana se confesaba que sucumbiría; si el Señor aflojara la mano un momento, don Álvaro podría extender la suya

[13] Santa Teresa, que en su obra *Las moradas* representa alegóricamente el alma como un castillo lleno de moradas a través de las cuales hay que avanzar hasta llegar a la morada central, que es donde se comunican Dios y el alma.

Antología de la novela realista] 97 [*La Regenta*

y tomar su presa. Por todo lo cual no quería ni verle. Pero, sin querer, pensaba en él. Desechaba aquellos pensamientos con todas sus fuerzas, pero volvían. ¡Qué horrible remordimiento! ¿Qué pensaría Jesús? y también ¿qué pensaría el Magistral... si lo supiera? A la Regenta le repugnaba, como una villanía, como una bajeza aquella predilección con que sus sentidos se recreaban en el recuerdo de Mesía apenas se les dejaba suelta la rienda un momento.

[...]

CAPÍTULO XXIV

[...]

Era lunes de Carnaval. El día anterior, el domingo, se había discutido con mucho calor en el Casino si la sociedad abriría o no abriría sus salones aquel año. Era costumbre inveterada que aquel *círculo aristocrático* (como le llamaba el *Alerta*[14], a cuyos redactores no se convidaba nunca, porque se empeñaban en asistir de *jaquet*[15]) diese baile, pero jamás de trajes, el lunes de Carnaval.

[...]

Álvaro, en cuanto vio a la Regenta en el salón, sintió lo que él llamaba la corazonada. *Aquella cara*, aquella palidez repentina le dieron a entender que la noche era suya, que había llegado el momento de arriesgar algo.

Nunca había desistido de conquistar aquella plaza.

[...]

Ana sintió que un pie de don Álvaro rozaba el suyo y a veces lo apretaba[16]. No recordaba en qué momento había empezado aquel contacto; mas cuando puso en él la atención, sintió un miedo parecido al del ataque nervioso más violento, pero mezclado con un placer material tan intenso, que no lo recordaba igual en su vida. El miedo, el te-

---

[14] *Alerta:* periódico liberal de Vetusta.

[15] *jaquet:* en lugar de *jaquette*, voz francesa que significa 'chaqué', tipo de chaqueta que a partir de la cintura se abre hacia atrás formando dos faldones.

[16] Ha de sobreentenderse que están a la mesa cenando.

rror era como el de aquella noche en que vio a Mesía pasar por la calle de la Traslacerca, junto a la verja del Parque; pero el placer era nuevo, nuevo en absoluto y tan fuerte, que la ataba como con cadenas de hierro a lo que ella ya estaba juzgando crimen, caída, perdición.

Don Álvaro habló de amor disimuladamente, con una melancolía bonachona, familiar, con una pasión dulce, suave, insinuante... Recordó mil incidentes sin importancia ostensible que Ana recordaba también. Ella no hablaba, pero oía. Los pies también seguían su diálogo; diálogo poético sin duda, a pesar de la piel de becerro, porque la intensidad de la sensación engrandecía la humildad prosaica del contacto.

Cuando Ana tuvo fuerza para separar todo su cuerpo de aquel placer del roce ligero con don Álvaro, otro peligro mayor se presentó en seguida: se oía a lo lejos la música del salón.

[...]

Don Víctor gritó:

—Ana ¡a bailar! Álvaro, cójala usted...

No quería abdicar su dictadura el buen Quintanar; don Álvaro ofreció el brazo a la Regenta, que buscó valor para negarse y no lo encontró.

Ana había olvidado casi la polka; Mesía la llevaba como en el aire, como en un rapto; sintió que aquel cuerpo macizo, ardiente, de curvas dulces, temblaba en sus brazos.

Ana callaba, no veía, no oía, no hacía más que sentir un placer que parecía fuego; aquel gozo intenso, irresistible, la espantaba; se dejaba llevar como cuerpo muerto, como en una catástrofe; se le figuraba que dentro de ella se había roto algo, la virtud, la fe, la vergüenza; estaba perdida, pensaba vagamente...

El presidente del Casino en tanto, acariciando con el deseo aquel tesoro de belleza material que tenía en los brazos, pensaba: «¡Es mía! ¡Ese Magistral debe de ser un cobarde! Es mía... Éste es el primer abrazo de que ha gozado esta pobre mujer.» ¡Ay sí, era un abrazo disimulado, hipócrita, diplomático, pero un abrazo para Anita!

—¡Qué sosos van Álvaro y Ana! —decía Obdulia a Ronzal, su pareja.

En aquel instante Mesía notó que la cabeza de Ana caía sobre la limpia y tersa pechera que envidiaba Trabuco[17]. Se detuvo el buen mo-

---

[17] *Trabuco:* apodo de Pepe Ronzal, uno de los socios del Casino que pertenece al círculo de don Álvaro, el Marquesito y otros.

zo, miró a la Regenta inclinando el rostro y vio que estaba desmayada. Tenía dos lágrimas en las mejillas pálidas, otras dos habían caído sobre la tela almidonada de la pechera.

[...]

CAPÍTULO XXV

Al día siguiente Glocester[18] delante del Magistral, sin compasión, refería en la catedral todo lo que había sucedido en el baile. «La aristocracia se había encerrado en un gabinete, en el gabinete de lectura, para cenar y bailar, y doña Ana Ozores, la mismísima Regenta que viste y calza, se había desmayado en brazos del señor don Álvaro Mesía.»

[...]

De Pas vio a la Regenta más hermosa que nunca: en los ojos traía fuego misterioso, en las mejillas el color del entusiasmo, de las conferencias íntimas, espirituales; una aureola de una gloria desconocida para él parecía rodear a aquella mujer que encerraba en el breve espacio de un contorno adorado todo lo que valía algo en la vida, el mundo entero, infinito, de la pasión única.

–¿Qué es esto? –dijo, ronco de repente, don Fermín, plantado, como con raíces, en medio de la sala[19].

–Lo que yo quería, que nos viéramos en seguida. Yo estoy loca; esta noche creí que me moría... ayer... hoy... no sé cuándo... Estoy loca...

Se ahogaba al hablar.

De Pas sintió una lástima que le pareció vergonzosa.

–Ya lo sé todo; no necesito historias...

–¿Qué es todo?

–Lo de ayer... lo de hoy... El baile, la cena; ¿qué es esto, Ana, qué es esto...?

–¡Qué baile!, ¡qué cena! No es eso... Me emborracharon... qué sé yo... pero no es eso... Es que tengo miedo... aquí, Fermín, aquí, en la cabeza... ¡Tener lástima de mí! ¡Que tenga alguno lástima de mí!

_____

[18] _Glocester:_ apodo de don Restituto Mourelo, clérigo de la catedral con dignidad de arcediano. Es enemigo de don Fermín.

[19] _la sala:_ de la casa de doña Petronila.

[...]

–A ver, a ver, ¿qué ha sido? A mí me han dicho... pero qué ha sido... a ver... –decía la voz trémula y congojosa del Magistral.

Ana, entre sollozos, refirió lo que podía referir de sus angustias, de sus miedos, de sus tormentos, de aquellas horas de fiebre.

[...]

Ana, inmóvil, había visto salir al Magistral sin valor para detenerle, sin fuerzas para llamarle. Una idea con todas sus palabras había sonado dentro de ella, cerca de los oídos. «¡Aquel señor canónigo estaba enamorado de ella!»

[...]

CAPÍTULO XXVIII

[...]

Y mientras abajo sonaba el ruido confuso y gárrulo de las despedidas y preparativos de marcha, y detrás el estrépito de los que corrían en la galería, y allá en el cielo, de tarde en tarde, el bramido del trueno, la Regenta, sin notar las gotas de agua en el rostro, o encontrando deliciosa aquella frescura, oía por la primera vez de su vida una declaración de amor apasionada pero respetuosa, discreta, toda idealismo, llena de salvedades y eufemismos que las circunstancias y el estado de Ana exigían, con lo cual crecía su encanto, irresistible para aquella mujer que sentía las emociones de los quince años al frisar con los treinta.

No tenía valor, ni aun deseo de mandar a don Álvaro que se callase, que se reportase, que mirase quién era ella. «Bastante lo miraba, bastante se contenía para lo mucho que aseguraba sentir y sentiría de fijo.»

«No, no, que no calle, que hable toda la vida», decía el alma entera. Y Ana, encendida la mejilla, cerca de la cual hablaba el presidente del Casino, no pensaba en tal instante ni en que ella era casada, ni en que había sido *mística*, ni siquiera en que había maridos y Magistrales en el mundo. Se sentía caer en un abismo de flores. Aquello era caer, sí, pero *caer al cielo*.

[…]

A la luz de un relámpago, la Regenta vio los ojos de Álvaro brillantes y envueltos en humedad de lágrimas.

También tenía las mejillas húmedas... Ella no pensó que esto podía ser agua del cielo.

«¡Estaba llorando aquel hombre..., el hombre más hermoso que ella había visto, el compañero de sus sueños, el que debió haberlo sido de su vida...!»

«Pero ¿por qué hablaba de agradecimiento? ¿Porque ella no le interrumpía? ¡Si él supiera..., si él supiera que no podía hablar...!»

Ana sentía un placer *puramente material*, pensaba ella, en aquel sitio de sus entrañas que no era el vientre ni el corazón, sino en el medio. Sí, el placer era *puramente material*, pero su intensidad le hacía grandioso, sublime. «Cuando se gozaba tanto, debía de haber derecho a gozar.»

Cuando Álvaro, creyendo bastante cargada la mina, suplicó que se le dijera algo, por ejemplo, si se le perdonaba aquella declaración, si se le quería mal, si se había puesto en ridículo..., si se burlaba de él, etc., Ana, separándose del roce de aquel brazo que la abrasaba, con un mohín de niña, pero sin asomo de coquetería, arisca, como un animal débil y montaraz herido, se quejó..., se quejó con un sonido gutural, hondo, mimoso, de víctima noble, suave. Fue su quejido como un estertor de la virtud que expiraba en aquel espíritu solitario hasta entonces...

[...]

CAPÍTULO XXIX

[...]

Las primeras palabras de amor que Ana, ya vencida, se atrevió a murmurar con voz apasionada y tierna al oído de su vencedor, no el día de la rendición, mucho después, fueron para pedirle el juramento de la constancia...

«Para siempre, Álvaro, para siempre, júramelo; si no es para siempre, esto es un bochorno, es un crimen infame, villano...»

Mesía había jurado, y seguía jurando todos los días, una eternidad de amores.

La idea de la soledad *después de aquello* le parecía a la Regenta más horrorosa que en un tiempo se le antojara la imagen del Infierno.

Con amor se podía vivir donde quiera, como quiera, sin pensar más que en el amor mismo...; pero sin él... volverían los fantasmas negros que ella a veces sentía rebullir allá en el fondo de su cabeza, como si asomaran en un horizonte muy lejano, cual primeras sombras de una noche eterna, vacía, espantosa. Ana sentía que acabarse el amor, aquella pasión absorbente, fuerte, nueva, que gozaba por la primera vez en la vida, sería para ella comenzar la locura.

«Sí, Álvaro; si tú me dejaras me volvería loca de fijo; tengo miedo a mi cerebro cuando estoy sin ti, cuando no pienso en ti. Contigo no pienso más que en quererte.»

Esto solía decir ella en brazos de su amante, gozando sin hipocresía, sin la timidez, que fue al principio real, grande, molesta para Mesía, pero que al desaparecer no dejó en su lugar fingimiento. Ana se entregaba al amor para sentir con toda la vehemencia de su temperamento, y con una especie de furor que groseramente llamaba Mesía, para sí, hambre atrasada.

[...]

[...] hubo que dar la gran batalla para trasladar al caserón de los Ozores el nido del amor adúltero. Ana se opuso, lloró, suplicó... «no, no; eso no, Álvaro, por Dios no, eso nunca». Y resistió muchos días a las súplicas del amante que se quejaba de lo poco y deprisa y sin comodidad que gozaba de su amor. Casi siempre se veían en casa de Vegallana[20]; allí eran sus cariños furtivos, precipitados; pero el reposado dominio de horas y horas de voluptuosa intimidad no era posible conseguirlo, si no se buscaba lugar menos expuesto a sobresaltos, intermitencias y disimulos. Ana se negaba a acudir a un rincón de amores que Álvaro prometía buscar; el mismo Álvaro confesaba que era difícil encontrar semejante rincón seguro en un pueblo *tan atrasado* como Vetusta. Además, el lugar que él pudiera encontrar, al cabo tenía que parecerle repugnante a ella; y como en Ana la imaginación influía tanto, el desprecio del albergue podía llevarla a la repugnancia del adulterio... No había más remedio que tomar por asilo el caserón de los Ozores. Era lo más seguro, lo más tranquilo, lo más cómodo. Comprendía Álvaro los escrúpulos de Ana, pero se propuso vencerlos y los venció.

[...]

Don Fermín hizo un gesto de impaciencia, que no vio Petra[21], porque tenía los ojos humillados. Había querido hablar el canónigo, pero

---

[20] *Vegallana*: marqueses que desempeñan un papel central en la vida social de la clase alta vetustense.

[21] *Petra*: la criada de los Quintanar, utilizada por don Álvaro para encubrir el adulterio.

no había podido; sentía en la garganta manos de hierro, y por el espinazo y las piernas sacudimientos y un temblor tenue, frío y constante.

–¡Pronto! ¿qué pasa...? –pudo preguntar al cabo.

Petra dijo, sin cesar de gemir, que necesitaba que la oyese en confesión, que no sabía si era una buena obra o un pecado lo que iba a hacer, que ella quería servirle a él, servir a su amo, servir a Dios, que al fin religión era también el interés del prójimo, pero... temía..., no sabía si debía...

–¡Habla...!, ¡habla...! Te digo que hables pronto... ¿Qué hay, Petra?, ¿qué hay...? –Don Fermín con disimulo, apoyó una mano en la mesa. Hubo una pausa–. Habla, por Dios...

[...]

Petra le miró cara a cara, fingiendo humildad y miedo; «quería ver el gesto que ponía aquel canónigo al saber que la señorona se la pegaba».

«Petra dijo, sin rodeos, que había visto ella, con sus propios ojos, lo que jamás hubiera creído. El mejor amigo del amo, aquel don Álvaro que de día no se separaba de don Víctor..., entraba de noche en el cuarto de la señora por el balcón y no salía de allí hasta el amanecer. Ella le había visto una noche, creyendo que soñaba, porque se había puesto a espiar creyendo así desvanecer ciertas sospechas, pero ¡ay! era verdad, era verdad... Aquel infame había pervertido a la señorita, una santa... ¡Bien temía don Fermín...!»

Petra seguía hablando, pero hacía rato que De Pas no la oía.

[...]

Llegó Quintanar al cenador que era el lugar de cita... ¡Cosa más rara! Frígilis no estaba allí. ¿Andaría por el Parque...? Se echó la escopeta al hombro, y salió de la glorieta.

En aquel momento el reloj de la catedral, como si bostezara, dio tres campanadas.

Don Víctor se detuvo pensativo, apoyó la culata de su escopeta en la arena húmeda del sendero y exclamó:

–¡Me lo han adelantado[22]! ¿Pero quién? ¿Son las ocho menos cuarto o las siete menos cuarto? ¡Esta oscuridad...!

---

[22] Petra, antes de abandonar su puesto de trabajo en casa de los Quintanar, ha adelantado el reloj para que don Víctor sorprenda a don Álvaro saliendo por el balcón de Ana.

Sin saber por qué sintió una angustia extraña, «también él tenía nervios por lo visto». Sin comprender la causa, le preocupaba y le molestaba mucho aquella incertidumbre. «¿Qué incertidumbre? Estaba antes obcecado; aquella luz no podía ser la de las ocho, eran las siete menos cuarto, aquello era el crepúsculo matutino, ahora estaba seguro... Pero entonces ¿quién le había adelantado el despertador más de una hora? ¿Quién y para qué? Y sobre todo, ¿por qué este accidente sin importancia le llegaba tan adentro?, ¿qué presentía?, ¿por qué creía que iba a ponerse malo...?»

Había echado a andar otra vez; iba en dirección a la casa, que se veía entre las ramas deshojadas de los árboles, apiñados por aquella parte. Oyó un ruido que le pareció el de un balcón que abrían con cautela; dio dos pasos más entre los troncos que le impedían saber qué era aquello, y al fin vio que cerraban un balcón de su casa y que un hombre que parecía muy largo se descolgaba, sujeto a las barras y buscando con los pies la reja de una ventana del piso bajo para apoyarse en ella y después saltar sobre un montón de tierra.

«El balcón era el de Anita.»

El hombre se esbozó en una capa de vueltas de grana y esquivando la arena de los senderos, saltando de uno a otro cuadro de flores, y corriendo después sobre el césped a brincos, llegó a la muralla, a la esquina que daba a la calleja de Traslacerca; de un salto se puso sobre una pipa[23] medio podrida que estaba allí arrinconada, y haciendo escala de unos restos de palos de espaldar clavados entre la piedra, llegó, gracias a unas piernas muy largas, a verse a caballo sobre el muro.

Don Víctor le había seguido de lejos, entre los árboles; había levantado el gatillo de la escopeta sin pensar en ello, por instinto, como en la caza, pero no había apuntado al fugitivo. «Antes quería conocerle.» No se contentaba con adivinarle.

A pesar de la escasa luz del crepúsculo, cuando aquel hombre estuvo a caballo en la tapia, el dueño del Parque ya no pudo dudar.

«¡Es Álvaro!», pensó don Víctor, y se echó el arma a la cara.

Mesía estaba quieto, mirando hacia la calleja, inclinado el rostro, atento sólo a buscar las piedras y resquicios que le servían de estribos en aquel descendimiento.

«¡Es Álvaro!», pensó otra vez don Víctor, que tenía la cabeza de su amigo al extremo del cañón de la escopeta.

---

[23] *pipa*: tonel para guardar vino.

«Él estaba entre árboles; aunque el otro mirase hacia el Parque no le veía. Podía esperar, podía reflexionar, tiempo había, era tiro seguro; cuando el otro se moviera para descolgarse..., entonces.»

«Pero tardaba años, tardaba siglos. Así no se podía vivir, con aquel cañón que pesaba quintales, mundos de plomo y aquel frío que comía el cuerpo y el alma no se podía vivir... Mejor suerte hubiera sido estar al otro extremo del cañón, allí sobre la tapia... Sí; sí; él hubiera cambiado de sitio. Y eso que el otro iba a morir.»

«Era Álvaro, ¡y no iba a durar un minuto! ¿Caería en el Parque o a la calleja...?»

No cayó; descendió sin prisa del lado de Traslacerca, tranquilo, acostumbrado a tal escalo, conocido ya de las piedras del muro. Don Víctor le vio desaparecer sin dejar la puntería y sin osar mover el dedo que apoyaba en el gatillo; ya estaba Mesía en la calleja y su amigo seguía apuntando al cielo.

–¡Miserable! ¡Debí matarle! –gritó don Víctor cuando ya no era tiempo; y como si le remordiera la conciencia, corrió a la puerta del Parque, la abrió, salió a la calleja y corrió hacia la esquina de la tapia por donde había saltado su enemigo. No se veía a nadie. Quintanar se acercó a la pared y vio en sus piedras y resquicios *la escalera de su deshonra*.

[...]

CAPÍTULO XXX

[...]

Ocho días había estado Ana entre la vida y la muerte, un mes entero en el lecho sin salir del peligro, dos meses convaleciente, padeciendo ataques nerviosos de formas extrañas, que a ella misma le parecían enfermedades nuevas cada vez.

Frígilis había dicho a la Regenta que Quintanar estaba herido más allá en las marismas de Palomares, que se le había disparado la escopeta y... Pero Ana, espantada, adivinando la verdad, había exigido que se la llevase a las marismas de Palomares inmediatamente.

«No podía ser, no había tren hasta el día siguiente...»

«Pues un coche, un coche... Se me engaña; si eso fuera cierto, usted estaría al lado de Víctor...»

Frígilis explicó su presencia lo menos mal que pudo.

Las mentiras piadosas fueron inútiles; Ana se dispuso a salir sola, a correr en busca de su Víctor... Hubo que decirle una verdad: la muerte de su esposo. Quiso verle muerto, pero no pudo moverse: cayó sin sentido y despertó en el lecho. Dos días creyó Frígilis tenerla engañada, atribuyendo la desgracia a un accidente de la caza. Pero Ana creía la verdad, no lo que le decían; la ausencia de Mesía y la muerte de Víctor se lo explicaron todo.

Y una tarde, a los tres días de la catástrofe, en ausencia de Frígilis, Anselmo entregó a su ama una carta en que don Álvaro explicaba desde Madrid su desaparición y silencio.

Cuando Crespo[24], al oscurecer, entró en la alcoba de Ana, la llamó en vano dos, tres veces... Pidió luz asustado y vio a su amiga como muerta, supina, y sobre el embozo de la cama el pliego perfumado de Mesía.

Y poco después, mientras Benítez[25] traía a la vida con antiespasmódicos a la Regenta y recetaba nuevas medicinas para combatir peligros nuevos, complicaciones del sistema nervioso, Frígilis en el tocador leía la carta del que siempre llamaba ya para sus adentros cobarde asesino; y después de leer el papel asqueroso, lo arrugaba entre sus puños de labrador y decía con voz ronca:

–¡Idiota! ¡Infame! ¡Grosero! ¡Idiota!

Don Álvaro, en aquel papel que olía a mujerzuela, hablaba con frases románticas e incorrectas de su crimen, de la muerte de Quintanar, de la *ceguera de la pasión.* «Había huido porque...»

–¡Porque tuviste miedo a la justicia, y a mí también, cobarde! –se dijo Frígilis[26].

«Había huido porque el remordimiento le arrastró lejos de *ella*... Pero que el amor le mandaba volver. ¿Volvía? ¿Creía Ana que debía volver? ¿O que debían juntarse en otra parte, en Madrid por ejemplo?» Todo era falso, frío, necio, en aquel papel escrito por un egoísta incapaz de amar de veras a los demás, y no menos inepto para saber ser digno en las circunstancias en que la suerte y sus crímenes le habían puesto.

[24] *Crespo:* don Tomás Crespo, Frígilis.

[25] *Benítez:* nuevo médico que sustituye a Somoza en el cuidado de Ana Ozores y que representa los nuevos adelantos de la ciencia.

[26] Don Víctor, experto tirador, había retado en duelo a don Álvaro, que no tenía maestría en el manejo de la pistola. Pero don Víctor, a última hora, en lugar de portarse como los maridos de los dramas que recita, no dispara a matar, lo cual es aprovechado por don Álvaro, que lanza un disparo mortal.

Ana, que no había podido terminar la lectura de la carta, que había caído sobre la almohada como muerta en cuanto vio en aquellos renglones fangosos la confirmación terminante de sus sospechas, no pudo por entonces pensar en la pequeñez de aquel espíritu miserable que albergaba el cuerpo gallardo que ella había creído amar de veras, del que sus sentidos habían estado realmente enamorados a su modo. No, en esto no pensó la Regenta hasta mucho más tarde.

En el delirio de la enfermedad grave y larga que Benítez combatió desesperado, lo que atormentaba el cerebro de Ana era el remordimiento mezclado con los disparates plásticos de la fiebre.

Otra vez tuvo miedo a morir, otra vez tuvo el pánico de la locura, la horrorosa aprensión de perder el juicio y conocerlo ella; y otra vez este terror superior a todo espanto, la hizo procurar el reposo y seguir las prescripciones de aquel médico frío, siempre fiel, siempre atento, siempre inteligente.

Días enteros estuvo sin pensar en su adulterio ni en Quintanar; pero esto fue al principio de la mejoría; cuando el cuerpo débil volvió a sentir el amor de la vida, a la que se agarraba como un náufrago cansado de luchar con el oleaje de la muerte oscura y amarga.

[...]

Llegó Octubre, y una tarde en que soplaba el viento sur, perezoso y caliente, Ana salió del caserón de los Ozores y con el velo tupido sobre el rostro, toda de negro, entró en la catedral solitaria y silenciosa. Ya había terminado el coro.

[...]

«¿Quién la había traído allí? No lo sabía. Iba a confesar con cualquiera y sin saber cómo se encontraba a dos pasos del confesonario de aquel hermano mayor del alma, a quien había calumniado el mundo por culpa de ella y a quien ella misma, aconsejada por los sofismas de la pasión grosera que la había tenido ciega, había calumniado también pensando que aquel cariño del sacerdote era amor brutal, amor como el de Álvaro, el infame, cuando tal vez era puro afecto que ella no había comprendido por culpa de la propia torpeza.»

[...]

El Magistral estaba en su sitio.

Al entrar la Regenta en la capilla, la reconoció a pesar del manto. Oía distraído la cháchara de la penitente; miraba a la verja de la entrada, y de pronto aquel perfil conocido y amado se había presentado como en un sueño. El talle, el contorno de toda la figura, la genuflexión ante el altar, otras señales que sólo él recordaba y reconocía, le gritaron como una explosión en el cerebro:

«¡Es Ana!»

[...]

El Magistral dio otra absolución y llamó con la mano a otra beata... La capilla se iba quedando despejada. Cuatro o cinco bultos negros, todos absueltos, fueron saliendo silenciosos, de rato en rato; y al fin quedaron solos la Regenta, sobre la tarima del altar, y el Provisor dentro del confesonario.

Ya era tarde. La catedral estaba sola. Allí dentro ya empezaba la noche.

Ana esperaba sin aliento, resuelta a acudir, la seña que la llamase a la celosía...

Pero el confesonario callaba. La mano no aparecía, ya no crujía la madera.

Jesús de talla, con los labios pálidos entreabiertos y la mirada de cristal fija, parecía dominado por el espanto, como si esperase una escena trágica inminente.

Ana, ante aquel silencio, sintió un terror extraño...

Pasaban segundos, algunos minutos muy largos, y la mano no llamaba...

La Regenta, que estaba de rodillas, se puso en pie con un valor nervioso que en las grandes crisis le acudía... y se atrevió a dar un paso hacia el confesonario.

Entonces crujió con fuerza el cajón sombrío, y brotó de su centro una figura negra, larga. Ana vio a la luz de la lámpara un rostro pálido, unos ojos que pinchaban como fuego, fijos, atónitos como los del Jesús del altar...

El Magistral extendió un brazo, dio un paso de asesino hacia la Regenta, que horrorizada retrocedió hasta tropezar con la tarima. Ana quiso gritar, pedir socorro y no pudo. Cayó sentada en la madera, abierta la boca, los ojos espantados, las manos extendidas hacia el enemigo, que el terror le decía que iba a asesinarla.

El Magistral se detuvo, cruzó los brazos sobre el vientre. No podía hablar, ni quería. Temblábale todo el cuerpo; volvió a extender los brazos hacia Ana..., dio otro paso adelante..., y después, clavándose las uñas en el cuello, dio media vuelta, como si fuera a caer desplomado, y con piernas débiles y temblonas salió de la capilla. Cuando estuvo en el trascoro, sacó fuerzas de flaqueza, y aunque iba ciego, procuró no tropezar con los pilares y llegó a la sacristía sin caer ni vacilar siquiera.

Ana, vencida por el terror, cayó de bruces sobre el pavimento de mármol blanco y negro; cayó sin sentido.

La catedral estaba sola. Las sombras de los pilares y de las bóvedas se iban juntando y dejaban el templo en tinieblas.

Celedonio, el acólito afeminado, alto y escuálido, con la sotana corta y sucia, venía de capilla en capilla cerrando verjas. Las llaves del manojo sonaban chocando.

Llegó a la capilla del Magistral y cerró con estrépito.

Después de cerrar tuvo aprensión de haber oído algo allí dentro; pegó el rostro a la verja y miró hacia el fondo de la capilla, escudriñando en la oscuridad. Debajo de la lámpara se le figuró ver una sombra mayor que otras veces...

Y entonces redobló la atención y oyó un rumor como un quejido débil, como un suspiro.

Abrió, entró y reconoció a la Regenta desmayada.

Celedonio sintió un deseo miserable, una perversión de la perversión de su lascivia: y por gozar un placer extraño, o por probar si lo gozaba, inclinó el rostro asqueroso sobre el de la Regenta y le besó los labios.

Ana volvió a la vida rasgando las nieblas de un delirio que le causaba náuseas.

Había creído sentir sobre la boca el vientre viscoso y frío de un sapo[27].

---

[27] Aquí acaba la novela. La degradación social de Ana, a la que toda Vetusta ha dado la espalda, alcanza su punto más bajo con el beso repulsivo de Celedonio.

La sociedad contemporánea

Una constante de la novela realista y naturalista reside en su afán
por reflejar la realidad social de la época. En las novelas
de las que a continuación se ofrecen algunos pasajes significativos
se retratan diversos grupos de la sociedad. Y el ambiente
en el que se desarrollan los conflictos es predominantemente
el medio urbano.

BENITO PÉREZ GALDÓS

(1843-1920)

Nació en Las Palmas y estudió Leyes en Madrid, ciudad
en la que residió el resto de sus días, dedicado a la actividad
literaria. Participó en la vida política (fue varias veces diputado),
y la ideología progresista que manifiesta en su obra sirvió
para que fuese tomado como bandera de los liberales.
Al final de los años 60 comienza su tarea novelística con
La fontana de oro, a la que sucede un grupo de obras
integradas en las «Novelas españolas contemporáneas
de la primera época». Todas ellas transcurren en lugares ficticios
y sus personajes son ideológicos. Las llamadas «Novelas
españolas contemporáneas» se inician con la incorporación
del naturalismo en *La desheredada* (1880), a la cual sigue otro
grupo de novelas que constituyen el núcleo naturalista
de la producción de Galdós. Sin embargo, pronto aparecen
los rasgos espiritualistas: el naturalismo de *Fortunata y Jacinta*
(1887) es calificado de naturalismo espiritual. En esta línea,
Galdós va distanciándose de la realidad exterior para sustituirla
por el espíritu del hombre. Novelas de esta época son *Nazarín*
(1895), *Halma* (1895) y *Misericordia* (1897).
Paralelamente escribió cinco series de *Episodios nacionales*,
en los que novela la historia de España, desde el reinado
de Carlos IV hasta la restauración de la monarquía
tras la República.

FORTUNATA Y JACINTA
(1887)

*La novela es una compleja maraña de personajes y situaciones
que se entrecruzan por las relaciones alternativas de Juanito Santa
Cruz con Fortunata y con Jacinta. El anhelo de Jacinta, la mujer
legítima, es tener un hijo. El de Fortunata, la amante circunstan-
cial, es recobrar a Juanito, que la ha engañado repetidas veces;
ella se considera con pleno derecho a él por haberle dado descendencia. Además aspira a que su hijo sea reconocido en la familia
de los Santa Cruz. La aparente rivalidad de las dos mujeres
se resuelve en un final armónico y conciliador: Fortunata,
en el lecho de muerte, entrega su hijo a Jacinta, y así se cumplen
parcialmente los deseos de ambas. Sólo el egoísta Juanito queda
fuera de la conciliación final, ya que su mujer, enterada de su
auténtica naturaleza, le cierra la puerta de la intimidad familiar.*

CAPÍTULO IV

PERDICIÓN Y SALVAMENTO DEL DELFÍN[1]

I

Pasados algunos días, y cuando ya Estupiñá[2] andaba por ahí res-
tablecido, aunque algo cojo, Barbarita empezó a notar en su hijo inclinaciones nuevas y algunas mañas que le desagradaron. Observó que el Delfín, cuya edad se aproximaba a los veinticinco años, tenía horas de
infantil alegría y días de tristeza y recogimiento sombríos. Y no pararon
aquí las novedades. La perspicacia de la madre creyó descubrir un notable cambio en las costumbres y en las compañías del joven fuera de casa,
y lo descubrió con datos observados en ciertas inflexiones muy particulares de su voz y lenguaje. Daba a la *elle* el tono arrastrado que la gente
baja da a la *y* consonante, y se le habían pegado modismos pintorescos y
expresiones groseras que a la mamá no le hacían maldita gracia. Habría
dado cualquier cosa por poder seguirle de noche y ver con qué casta de
gente se juntaba. Que ésta no era fina, a la legua se conocía.

---

[1] *el Delfín:* apodo irónico que le da el narrador a Juanito Santa Cruz. Se identifica al
heredero de los Santa Cruz con el heredero del trono de Francia.

[2] *Estupiñá:* hombre de confianza de la familia Santa Cruz.

Y lo que Barbarita no dudaba en calificar de encanallamiento empezó a manifestarse en el vestido. El Delfín se encajó una capa de esclavina corta con mucho ribete, mucha trencilla y pasamanería. Poníase por las noches el sombrerito pavero[3], que, a la verdad, le caía muy bien, y se peinaba con los mechones ahuecados sobre las sienes. Un día se presentó en la casa un sastre con facha de sacristán, que era de los que hacen ropa ajustada para toreros, chulos y matachines; pero doña Bárbara no le dejó sacar la cinta de medir, y poco faltó para que el pobre hombre fuera rodando por las escaleras.

[...]

Como supiera un día la dama que su hijo frecuentaba los barrios de Puerta Cerrada, calle de Cuchilleros y Cava de San Miguel[4], encargó a Estupiñá que vigilase, y éste lo hizo con muy buena voluntad, llevándole cuentos, dichos en voz baja y melodramática:

–Anoche cenó en la pastelería del sobrino de Botín, en la calle de Cuchilleros... ¿Sabe la señora? También estaba el señor de Villalonga y otro que no conozco, un tipo así... ¿Cómo diré? De estos de sombrero redondo y capa con esclavina ribeteada... Lo mismo puede pasar por un randa que por un señorito disfrazado.

–¿Mujeres...? –preguntó con ansiedad Barbarita.

–Dos, señora, dos –dijo Plácido[5], corroborando con igual número de dedos muy estirados lo que la voz denunciaba–. No les pude ver las estampas. Eran de estas de mantón pardo, delantal azul, buena bota y pañuelo a la cabeza... En fin, un par de reses muy bravas.

[...]

De pronto los cuentos de Estupiñá cesaron. A Barbarita todo se le volvía preguntar y más preguntar, y el dichoso hablador no sabía nada. Y cuidado que tenía mérito la discreción de aquel hombre, porque era el mayor de los sacrificios; para él equivalía a cortarse la lengua el tener que decir: «No sé nada, absolutamente nada.» A veces parecía que sus insignificantes e inseguras relaciones querían ocultar la verdad antes que esclarecerla.

---

[3] *sombrero pavero:* el de ala ancha y recta y copa en forma de cono truncado que usan los andaluces.

[4] La novela transcurre en Madrid. Estos lugares son reales.

[5] *Plácido:* nombre de Estupiñá.

[...]

Diez meses pasaron de esta manera, Barbarita interrogando a Estupiñá, y éste no queriendo o no teniendo qué responder; hasta que allá por mayo del 70 Juanito empezó a abandonar aquellos mismos hábitos groseros que tanto disgustaban a su madre. Ésta, que lo observaba atentísimamente, notó los síntomas del lento y feliz cambio en multitud de accidentes de la vida del joven. Cuánto se regocijaba la señora con esto, no hay para qué decirlo. Y aunque todo ello era inexplicable, llegó un momento en que Barbarita dejó de ser curiosa, y no le importaba nada ignorar los desvaríos de su hijo con tal que se reformase. Lentamente, pues, recobraba el Delfín su personalidad normal. Después de una noche que entró tarde y muy sofocado, y tuvo cefalalgia y vómitos, la mudanza pareció más acentuada. La mamá entreveía en aquella ignorada página tanto libertinos, orgías de mal gusto, bromas y riñas quizás; pero todo lo perdonaba, todo, todito, con tal que aquel trastorno pasase, como pasan las indispensables crisis de las edades.

–Es un sarampión de que no se libra ningún muchacho de estos tiempos –decía–. Ya sale el mío de él, y Dios quiera que salga en bien.

Notó también que el Delfín se preocupaba mucho de ciertos recados o esquelitas que a la casa traían para él, mostrándose más bien temeroso de recibirlos que deseoso de ellos. A menudo daba a los criados orden de que le negaran y de que no se admitiera carta ni recado. Estaba algo inquieto, y su mamá se dijo gozosa: «Persecución tenemos; pero él parece querer cortar toda clase de comunicaciones. Esto va bien.»

Hablando de esto con su marido, don Baldomero, en quien lo progresista no quitaba lo autoritario (emblema de los tiempos), propuso un plan defensivo, que mereció la aprobación de ella.

–Mira, hija: lo mejor es que yo hable hoy mismo con el Gobernador, que es amigo nuestro. Nos mandará acá una pareja de Orden Público, y en cuanto llegue hombre o mujer de malas trazas con papel o recadito, me lo trincan, y al Saladero[6] de cabeza.

Mejor que este plan era el que se le había ocurrido a la señora. Tenía tomada casa en Plencia para pasar la temporada de verano, fijando la fecha de la marcha para el 8 o el 10 de julio. Pero Barbarita, con aquella seguridad del talento superior que en un punto inicia y ejecuta las resoluciones salvadoras, se encaró con Juanito, y de buenas a primeras le dijo:

–Mañana mismo nos vamos a Plencia.

....

[6] *Saladero:* con este nombre era conocida la cárcel de Madrid, pues estaba instalada en un antiguo saladero de carnes y pescados.

[...]

Instaláronse en su residencia de verano, que era como un palacio, y no hay palabras con que ponderar lo contentos y saludables que todos estaban. El Delfín, que fue desmejoradillo, no tardó en reponerse, recobrando su buen color, su palabra jovial y la plenitud de sus carnes. La mamá se la tenía guardada. [...]

–Pues sí –dijo ella, después de una conversación preparada con gracia–. Es preciso que te cases. Ya te tengo la mujer buscada. Eres un chiquillo, y a ti hay que dártelo todo hecho. ¡Qué será de ti el día que yo te falte! Por eso quiero dejarte en buenas manos... No te rías, no; es la verdad, yo tengo que cuidar de todo, lo mismo de pegarte el botón que se te ha caído que de elegirte la que ha de ser compañera de toda tu vida, la que te ha de mimar cuando yo me muera. ¿A ti te cabe en la cabeza que pueda yo proponerte nada que no te convenga?... No. Pues a callar, y pon tu porvenir en mis manos. No sé qué instinto tenemos las madres, algunas quiero decir. En ciertos casos no nos equivocamos; somos infalibles como el Papa.

La esposa que Barbarita proponía a su hijo era Jacinta, su prima, la tercera de las hijas de Gumersindo Arnaiz. ¡Y qué casualidad! Al día siguiente de la conferencia citada llegaban a Plencia, y se instalaban en una casita modesta, Gumersindo e Isabel Cordero con toda su caterva menuda. Candelaria no salía de Madrid, y Benigna[7] había ido a Laredo.

Juan no dijo ni que sí ni que no. Limitóse a responder por fórmula que lo pensaría; pero una voz de su alma le declaraba que aquella gran mujer y madre tenía tratos con el Espíritu Santo, y que su proyecto era un verdadero caso de infalibilidad.

II

[...]

Jacinta era de estatura mediana, con más gracia que belleza, lo que se llama en lenguaje corriente una mujer *mona*. Su tez finísima y sus ojos que despedían alegría y sentimiento componían un rostro sumamente agradable. Y hablando, sus atractivos eran mayores que cuando estaba callada, a causa de la movilidad de su rostro y de la expresión variadísima que sabía poner en él. La estrechez relativa en que vivía la numerosa familia de Arnaiz no le permitía variar sus galas; pero sabía

---

[7] *Candelaria* y *Benigna*: hermanas de Jacinta, ya casadas.

triunfar del amaneramiento con el arte, y cualquier perifollo anunciaba en ella una mujer que, si lo quería, estaba llamada a ser elegantísima. Luego veremos. Por su talle delicado y su figura y cara porcelanescas, revelaba ser una de esas hermosuras a quienes la Naturaleza concede poco tiempo de esplendor, y que se ajan pronto, en cuando les toca la primera pena de la vida o la maternidad.

Barbarita, que la había criado, conocía bien sus notables prendas morales, los tesoros de su corazón amante, que pagaba siempre con creces el cariño que se le tenía, y por todo esto se enorgullecía de su elección. Hasta ciertas tenacidades de carácter, que en la niñez eran un defecto, agradábanle cuando Jacinta fue mujer, porque no es bueno que las hembras sean todas miel, y conviene que guarden una reserva de energía para ciertas ocasiones difíciles.

La noticia del matrimonio de Juanito cayó en la familia de Arnaiz como una bomba que revienta y esparce, no desastres y muertes, sino esperanza y dichas. Porque hay que tener en cuenta que el Delfín, por su fortuna, por sus prendas, por su talento, era considerado como un ser bajado del cielo. Gumersindo Arnaiz no sabía lo que le pasaba; lo estaba viendo y aún le parecía mentira; y siendo el amartelamiento de los novios bastante empalagoso, a él le parecía que todavía se quedaban cortos y que debían entortolarse mucho más. Isabel era tan feliz que, de vuelta ya en Madrid, decía que le iba a dar algo, y que seguramente su empobrecida naturaleza no podría soportar tanta felicidad. Aquel matrimonio había sido la ilusión de su vida durante los últimos años, ilusión que por lo muy hermosa no encajaba en la realidad. No se había atrevido nunca a hablar de esto a su cuñada, por temor de parecer excesivamente ambiciosa y atrevida.

[...]

CAPÍTULO V

VIAJE DE NOVIOS

I

La boda se verificó en mayo del 71. Dijo don Baldomero con muy buen juicio que pues era costumbre que se largaran los novios, acabadita de recibir la bendición, a correrla por esos mundos, no comprendía fuese de rigor el paseo por Francia o por Italia, habiendo en España tantos lugares dignos de ser vistos.

[...]

–Que me tienes que contar todito... Si no, no te dejo vivir.

Esto fue dicho en el tren, que corría y silbaba por las angosturas de Pancorbo[8]. En el paisaje veía Juanito una imagen de su conciencia. La vía que lo traspasaba, descubriendo las sombrías revueltas, era la indagación inteligente de Jacinta. El muy tuno se reía, prometiendo, eso sí, contar luego; pero la verdad era que no contaba nada de substancia.

–¡Sí, porque me engañaste tú a mí!... A buena parte vienes... Sé más de lo que te crees. Yo me acuerdo bien de algunas cosas que vi y oí. Tu mamá estaba muy disgustada porque te nos habías hecho muy chu... la... pito, eso es.

El marido continuaba encerrado en su prudencia; mas no por eso se enfadaba Jacinta. Bien le decía su sagacidad femenil que la obstinación impertinente produce efectos contrarios a los que pretende. Otra habría puesto en aquel caso unos morritos muy serios; ella, no, porque fundaba su éxito en la perseverancia combinada con el cariño capcioso y diplomático. Entrando en un túnel de la Rioja, dijo así:

–¿Apostamos a que sin decirme tú una palabra lo averiguo todo?

Y a la salida del túnel, el enamorado esposo, después de estrujarla con un abrazo algo teatral y de haber mezclado el restallido de sus besos al mugir de la máquina humeante, gritaba:

–¿Qué puedo yo ocultar a esta mona golosa?... Te como; mira que te como. ¡Curiosona, fisgona, feúcha! ¿Tú quieres saber? Pues te lo voy a contar, para que me quieras más.

–¿Más? ¡Qué gracia! Eso sí que es difícil.

–Espérate a que lleguemos a Zaragoza.

–No, ahora.

–¿Ahora mismo?

–*Chí.*

–No..., en Zaragoza. Mira que es historia larga y fastidiosa.

–Mejor... Cuéntala, y luego veremos.

–Te vas a reír de mí... Pues, señor..., allá por diciembre, del año pasado..., no, del otro... ¿Ves? ¡Ya te estás riendo!

---

[8] *Pancorbo:* topónimo de un municipio y un desfiladero, ambos en el norte de la provincia de Burgos.

–Que no me río, que estoy más seria que el Papamoscas[9].

–Pues, bueno, allá voy... Como te iba diciendo, conocí a una mujer... Cosas de muchachos. Pero déjame que empiece por el principio. Érase una vez... un caballero anciano, muy parecido a una cotorra y llamado Estupiñá, el cual cayó enfermo, y..., cosa natural, sus amigos fueron a verle..., y uno de estos amigos, al subir la escalera de piedra, encontró una mujer que se estaba comiendo un huevo crudo... ¿Qué tal?...

II

–Un huevo crudo... ¡Qué asco! –exclamó Jacinta escupiendo una salivita–. ¿Qué se puede esperar de quien se enamora de una mujer que come huevos crudos?...

–Hablando aquí con imparcialidad, te diré que era guapa. ¿Te enfadas?

–¡Qué me voy a enfadar, hombre! Sigue... Se comía el huevo, y te ofrecía y tú participaste...

–No, aquel día no hubo nada. Volví al siguiente y me la encontré otra vez.

–Vamos, que le caíste en gracia y te estaba esperando.

No quería el Delfín ser muy explícito, y contaba a grandes rasgos, suavizando asperezas y pasando como sobre ascuas por los pasajes de peligro. Pero Jacinta tenía un arte instintivo para el manejo del gancho, y sacaba siempre algo de lo que quería saber. Allí salió a relucir parte de lo que Barbarita inútilmente intentó averiguar... ¿Quién era la del huevo?... Pues una chica huérfana que vivía con su tía, la cual era huevera y pollera en la Cava de San Miguel. ¡Ah! ¡Segunda Izquierdo!... por otro nombre *la Melaera*, ¡qué basilisco!..., ¡qué lengua!... ¡qué rapacidad!... Era viuda, y estaba liada, así se dice, con un picador.

–Pero basta de digresiones. La segunda vez que entré en la casa me la encontré sentada en uno de aquellos peldaños de granito, llorando.

–¿A la tía?

–No, mujer, a la sobrina. La tía le acababa de echar los tiempos[10], y aún se oían abajo los resoplidos de la fiera... Consolé a la pobre chica con cuatro palabrillas, y me senté a su lado en el escalón.

---

[9] *Papamoscas:* posiblemente alude a la popular figura que toca una campana sobre el reloj de la catedral de Burgos.

[10] *echar los tiempos:* decir a alguien expresiones ásperas.

–¡Qué poca vergüenza!

–Empezamos a hablar. No subía ni bajaba nadie. La chica era confianzuda, inocentona, de estas que dicen todo lo que sienten, así lo bueno como lo malo. Sigamos. Pues, señor..., al tercer día me la encontré en la calle. Desde lejos noté que se sonreía al verme. Hablamos cuatro palabras nada más; y volví y me colé en la casa; y me hice amigo de la tía y hablamos; y una tarde salió el picador de entre un montón de banastas donde estaba durmiendo la siesta, todo lleno de plumas, y llegándose a mí me echó la zarpa, quiero decir que me dio la manaza, y yo se la tomé, y me convidó a unas copas, y acepté y bebimos. No tardamos Villalonga y yo en hacernos amigos de los amigos de aquella gente... No te rías... Te aseguro que Villalonga me arrastraba a aquella vida, porque se encaprichó por otra chica del barrio, como yo por la sobrina de Segunda.

–¿Y cuál era más guapa?

–¡La mía! –replicó prontamente el Delfín, dejando entrever la fuerza de su amor propio–. La mía..., un animalito muy mono, una salvaje que no sabía leer ni escribir. Figúrate, ¡qué educación! ¡Pobre pueblo! Y luego hablamos de sus pasiones brutales, cuando nosotros tenemos la culpa... Estas cosas hay que verlas de cerca... Sí, hija mía, hay que poner la mano sobre el corazón del pueblo, que es sano..., sí, pero a veces sus latidos no son latidos, sino patadas... ¡Aquella infeliz chica...! Como te digo, un animal; pero buen corazón, buen corazón... ¡Pobre *nena*!

Al oír esta expresión de cariño, dicha por el Delfín tan espontáneamente, Jacinta arrugó el ceño. Ella había heredado la aplicación de la palabreja, que ya le disgustaba por ser como desecho de una pasión anterior, un vestido o alhaja ensuciados por el uso; y expresó su disgusto dándole al pícaro de Juanito una bofetada, que para ser de mujer y en broma resonó bastante.

–¿Ves? Ya estás enfadada. Y sin motivo. Te cuento las cosas como pasaron... Basta ya, basta de cuentos.

[...]

LA TRIBUNA
(1882)
de Emilia Pardo Bazán

Amparo, hija de un barquillero, es una adolescente que promete
ser una espléndida mujer. Aficionada a deambular por la ciudad,
conoce a unos jóvenes de rica familia que van a determinar
su futuro. De una parte, consiguen colocar a Amparo en la fábrica
de Tabacos, lugar donde adquiere conciencia de las diferencias
de clase y entra en contacto con ideas políticas. Su resolución
y belleza hacen que destaque y sea portavoz de las trabajadoras,
lo cual le merece el atributo de «Tribuna».

De otra parte, uno de los jóvenes la corteja y seduce
prometiéndole matrimonio. En este fragmento Amparo, que espera
un hijo, ha sido abandonada. Su desilusión personal
se combina con la decepción política ya que, después de una época
de esperanzas, la situación de los trabajadores no ha variado.

XXXIV

SEGUNDA HAZAÑA DE «LA TRIBUNA»

Frío es el invierno que llega; pero las noticias de Madrid vienen calentitas, abrasando. La cosa está abocada, el italiano[1] va a abdicar porque ya no es posible que resista más la atmósfera de hostilidad, de inquina, que le rodea. Él mismo se declara aburrido y harto de tanto contratiempo, de la grosería de sus áulicos[2], de la guerra carlista, del vocerío cantonal[3], del universal desbarajuste. No hay remedio: las distancias se estrechan, el horizonte se tiñe de rojo, la federal avanza.

La fábrica ha recobrado su *Tribuna*. Es verdad que ésta vuelve herida y maltrecha de su primera salida en busca de aventuras; mas no por eso se ha desprestigiado. Sin embargo, los momentos en

---

[1] *el italiano:* Amadeo I de Saboya, que abdica en febrero de 1873 y se proclama la 1.ª República.

[2] *áulicos:* cortesanos.

[3] *vocerío cantonal:* el de los grupos revolucionarios que querían implantar una república federal, en la que el Estado quedase fragmentado en cantones o demarcaciones territoriales confederadas.

que empezó a conocerse su desdicha fueron para Amparo de una vergüenza quemante. Sus pocos años, su falta de experiencia, su vanidad fogosa, contribuyeron a hacer la prueba más terrible. Pero en tan crítica ocasión no se desmintió la solidaridad de la fábrica. Si alguna envidia excitaban antaño la hermosura, garbo y labia irrestañable de la chica, ahora se volvió lástima, y las imprecaciones fueron contra el eterno enemigo: el hombre. ¡Estos malditos de Dios, recondenados, que sólo están para echar a perder a las muchachas buenas! ¡Esos señores, que se divierten en hacer daño! ¡Ay, si alguien se portase así con sus hermanas, con sus hijitas, quién los oiría y quién los vería abalanzarse como perros! ¿Por qué no se establecía una ley para eso, caramba? ¡Si al que debe una peseta se la hacen pagar más que de prisa, me parece a mí que estas deudas aún son más sagradas, demontre! ¡Sólo que ya se ve; la justicia la hay de dos maneras: una a rajatabla para los pobres, y otra de manga ancha, muy complaciente, para los ricos!

[...]

¡Quién habría reconocido a la brillante oradora del banquete del Círculo Rojo[4] en aquella mujer que pasaba con el mantón cruzado, vestida de oscuro, ojerosa, deshecha! Sin embargo, sus facultades oratorias no habían disminuido; sólo, sí, cambiado algún tanto de estilo y carácter. Tenían ahora sus palabras, en vez del impetuoso brío de antes, un dejo amargo, una sombría y patética elocuencia. No era su tono el enfático de la Prensa, sino otro más sincero, que brotaba del corazón ulcerado y del alma dolorida. En sus labios, la república federal no fue tan sólo la mejor forma de gobierno, época ideal de libertad, paz y fraternidad humana, sino período de vindicta[5], plazo señalado por la justicia del cielo, reivindicación largo tiempo esperada por el pueblo oprimido, vejado, trasquilado como mansa oveja. Un aura socialista palpitó en sus palabras, que estremecieron la fábrica toda, máxime cuando el desconcierto de la Hacienda dio lugar a que se retrasase nuevamente la paga en aquella dependencia del Estado. Entonces pudo hablar a su sabor *la Tribuna*, despacharse a su gusto. ¡Ay de Dios! ¿Qué les importaba a los señorones de Madrid..., a los pícaros de los ministros de los empleados, que ellas falleciesen de hambre? ¡Los sueldos de ellos estarían bien pagados, de fijo! No, no se descuidarían en cobrar, y en co-

---

⁴ *Círculo Rojo:* club social de Marineda, cuyos miembros no pertenecían a la clase más acomodada de la ciudad. Eran partidarios de la República y organizaron un gran recibimiento a los delegados republicanos de las provincias cántabras.
⁵ *vindicta:* venganza o satisfacción por los agravios e injusticias recibidas.

mer, y en llenar la bolsa. ¡Y si fuesen los ministros los únicos a reírse del que está debajo! ¡Pero a todos los ricos del mundo se les daba una higa de que cuatro mil mujeres careciesen de pan que llevarse a la boca!

Y al decir esto, Amparo se incorporaba, casi se ponía en pie en la silla, a pesar de los enérgicos y apremiantes chis de la maestra, a pesar del inspector de labores, que desde hacía un momento estaba asomado a la entrada del taller, silencioso y grave.

–¡Qué cuenta tan larga... –proseguía la oradora, animándose al ver el mágico y terrible efecto de sus palabras–, qué cuenta tan larga darán a Dios algún día esas sanguijuelas, que nos chupan la sangre toda! Digo yo, y quiero que me digan, porque nadie me contesta a esto, ni puede contestarme: ¿Hizo Dios dos castas de hombres, por si acaso, una de pobres y otra de ricos? ¿Hizo a unos para que se paseasen, durmiesen, anduviesen majos, y hartos, y contentos, y a otros para sudar siempre y arrimar el hombro a todas las labores, y morirse como perros sin que nadie se acuerde de que vinieron al mundo? ¿Qué justicia es ésta, retepelo[6]? Unos trabajan la tierra, otros comen el trigo; unos siembran y otros recogen; tú, un suponer, plantaste la viña, pues yo vengo con mis manos lavadas y me bebo el vino...

–Pero el que lo tiene, lo tiene –interrumpía la conservadora *Comadreja.*

–Ya se sabe que el que lo tiene, lo tiene; pero ahora vamos al caso de que es preciso que a todos les llegue su día y que cuantos nacemos iguales gocemos de lo mismo, ¡tan siquiera un par de horas! ¡Siempre unos holgando y otros reventando! Pues no ha de durar hasta el fin de los siglos, que alguna vez se ha de volver la tortilla.

–El que está debajo, mujer, debajito se queda.

–¡Conversación! Mira tú: en París, de Francia, el cuento ese de la *Comun...*[7] ¡Anda si pusieron lo de arriba abajo! ¡Anda si se sacudieron! No quedó cosa, con cosa...; así, así debemos hacer aquí, si no nos pagan.

–Y allá, ¿qué hicieron?

Amparo bajó la voz.

–Prender fuego... a todos los edificios públicos...

Un murmullo de indignación y horror salió de la mayor parte de las bocas.

---

[6] *retepelo:* exclamación que sirve para encarecer o exagerar.

[7] *la Comun...:* la *Comuna,* movimiento revolucionario francés, de base principalmente obrera, que en 1871 mantuvo un gobierno en París durante dos meses.

–Y a las casas de los ricos..., y...

–¡Asús! ¡Fuego, mujer!

–Y afusil..., y afusil... ar...

–Afusilar..., ¿a quién, mujer, quién?

–A... a los prisioneros, y hasta al arzobispo, y a los cur...

–¡Infames!

–¡Tigres!

–¡Calla, calla, que parece que la sangre se me cuajó toda!... Y ¿quién hizo eso? ¡Pues vaya unas barbaridás que cuentas!

–Si yo no las cuento para decir que..., que esté bien hecho eso de..., de prender fuego y afusilar... ¡No, caramba! ¡No me entendéis, no os da la gana de entenderme! Lo que digo es que... hay que tener hígados, y no dejarse sobar ni que le echen a uno el yugo al cuello sin defenderse... Lo que digo es que, cuando no le dan a uno por bien lo suyo, lo muy suyo..., lo que tiene ganado y reganado... Cuando no se lo dan, si uno no es tonto..., lo pide..., y si se lo niegan..., lo coge.

–Eso, clarito.

–Tienes razón. Nosotras hacemos cigarros, ¿eh?, pues bien regular es que nos abonen lo nuestro.

–No, y apuradamente no es ley de Dios esa desigualdad y esa diferencia de unos zampar y ayunar otros.

–Lo que es yo, mañana, o me pagan, o no entro al trabajo.

–Ni yo.

–Ni yo.

–Si todas hiciésemos otro tanto..., y si, además, nos viesen bien determinadas a armar el gran cristo...

–¡Mañana..., lo que es mañana! ¿Habéis de hacer lo que yo os diga?

–Bueno.

–Pues venid temprano..., tempranito.

A la madrugada siguiente, los alrededores de la fábrica, la calle del Sol, la calzada que conduce al mar se fueron llenando de mujeres que, más silenciosas de lo que suelen mostrarse las hembras reunidas, tenían vuelto el rostro hacia la puerta de entrada del patio principal. Cuando ésta se abrió, por unánime impulso se precipitaron dentro e invadieron el zaguán en tropel, sin hacer caso de los esfuerzos del portero para conservar el orden; pero en vez de subir a los talleres, se estacionaron allí, apretadas, amenazadoras, cerrando el paso a las que, llegando tarde, o ajenas a la conjuración, intentaban atravesar más allá de la portería. Sordos rumores, voces ahogadas, imprecaciones que presto hallaban eco, corrían por el concurso, el cual se iba animando, y comunicándose ardimiento y firmeza. En la primera fila, al extremo del zaguán estaba Amparo, pálida y con los ojos encendidos, la voz ya algo tomada de perorar, y, sin embargo, llena de energía, incitando y conteniendo a la vez la humana marea.

–Calma –decíales con hondo acento–, calma y serenidad... Tiempo habrá para todo: aguardad.

Pero algunos gritos, los empellones y dos o tres disputas que se promovieron entre el gentío, iban empujando, mal de su grado, a *la Tribuna* hacia la vetusta escalera del taller, cuando en éste se sintieron pasos que estremecían el piso, y un inspector de labores, con la fisonomía inquieta del que olfatea graves trastornos, apareció en el descanso. Empezaba a preguntar, más bien con el ademán que con la boca: «Qué es esto?», a tiempo que Amparo, sacando del bolsillo un pito de barro, arrimólo a los labios y arrancó de él agudo silbido. Diez o doce silbidos más partieron de diferentes puntos, corearon aquella romanza de pito, y el inspector se detuvo, sin atreverse a bajar los escalones que faltaban. Dos o tres viejas desvenadoras[8] se adelantaron hacia él, profiriendo chillidos temerosos y tocándolo casi, y se oyó un sordo «¡muera!». Sin embargo, el funcionario se rehízo, y cruzándose de brazos, se adelantó, algo mudada la color, pero resuelto.

–¿Qué sucede? ¿Qué significa este escándalo? –preguntó a Amparo, a quien halló más próxima–. ¿Qué modo es éste de entrar en los talleres?

–Es que no entramos hoy –respondió *la Tribuna*.

Y cien voces confirmaron la frase.

–No se entra, no se entra.

–¿No entran ustedes? Pues ¿qué pasa?

–Que se hacen con nosotras iniquidás, y no aguantamos.

–No, no aguantamos. ¡Mueran las iniquidás! ¡Viva la libertá! ¡Justicia seca! –clamaron desde todas partes. Y dos o tres maestras, cogidas en el remolino, alzaban las manos desesperadamente, haciendo señas al inspector.

–Pero ¿qué piden ustedes?

–¿No oyes, hijo? Jos-ti-cia –berreó una desvenadora, al oído mismo del empleado.

---

[8] *desvenadoras:* mujeres que separaban en las hojas de tabaco las fibras que sobresalen en su envés.

–Que nos paguen, que nos paguen y que nos paguen –exclamó, enérgicamente, Amparo, mientras el rumor de la muchedumbre se hacía tempestuoso.

–Vuelvan ustedes, por de pronto, al orden y a la compostura, que...

–No nos da la gana.

–¡Que baile el cancán!

–¡Muera!

Y otra vez, la sinfonía de pitos rasgó el aire.

–No pedimos nada que no sea nuestro –explicó Amparo, con gran sosiego–. Es imposible que por más tiempo la fábrica se esté así, sin cobrar un cuarto... Nuestro dinero, y abur.

–Voy a consultar con mis superiores –respondió el inspector, retirándose entre vociferaciones y risotadas.

Apenas lo vieron desaparecer, se calmó la efervescencia un tanto. «Va a consultar», se decían las unas a las otras... «¿Nos pagarán?»

–Si nos pagan –declaró *la Tribuna*, belicosa y resuelta como nunca–, es que nos tienen miedo. ¡Adelante! Lo que es hoy, la hacemos, y buena.

[...]

Transcurridos diez minutos volvió el inspector, acompañado de un viejecillo enjuto y seco como un pedazo de yesca, que era el mismo contador[9] en persona. El jefe no juzgaba oportuno por entonces comprometer su dignidad presentándose ante las amotinadas, y por medida de precaución había reunido en la oficina a los empleados y consultaba con ellos, conviniendo en que la sublevación no era tan temible en la Granera[10] como lo sería en otras fábricas de España, atendido el pacífico carácter del país. No quisiera él estar ahora en Sevilla.

–¿Qué recado nos traen? –gritaron al inspector las sublevadas.

–Óiganme ustedes.

–Cuartos, cuartos, y no tanta parolería.

–Tengo chiquillos que aguardan que les compre mollete[11]..., ¿oyusté?, y no puedo perder el tiempo.

–Se pagará..., hoy mismo..., un mes de los que se adeudan.

....

[9] *contador*: administrador que se encarga de controlar las salidas y entradas de dinero en una empresa.

[10] *la Granera*: nombre de la fábrica de Tabacos.

[11] *mollete:* panecillo.

Hondo murmullo atravesó por la multitud, llegando a las últimas filas el «¿Pagan, sí o no? Pagan... ¡Un mes...! ¡Un mes...! ¡Para poca salú..., no consentir...; todo, todo junto!» Amparo tomó la palabra.

–Como usted conoce, ciudadano inspector..., un mes no es lo que se nos debe, y lo que nos corresponde, y a lo que tenemos derechos inalienables e individuales... Estamos resueltas, pero resueltas de verdá, a conseguir que nos abonen nuestro jornal, ganado honrosamente con el sudor de nuestras frentes, y del que sólo la injusticia y la opresión más impía se nos puede incautar...

–Todo eso es muy cierto, pero ¿qué quieren ustedes que hagamos? Si la Dirección nos hubiese remitido fondos, ya estarían satisfechos los dos meses... Por de pronto, se les ofrece a ustedes uno, y se les ruega que despejen el local en buen orden y sin ocasionar disturbios... De lo contrario, la guardia va a proceder al despejo...

–¡La guardia! ¡Que nos la echen! ¡Que venga! ¡Acá la guardia!

Cuatro soldados al mando de un cabo, total cinco hombres, bregaban ya en la puerta de entrada con las más reacias y temibles. No tenían, dijeron ellos pues, corazón para hacer uso de sus armas; aparte de que no se les había mandado tampoco semejante cosa. Limitábanse a coger del brazo a las mujeres y a irlas sacando al patio: era una lucha parcial, en que había de todo: chillidos, pellizcos, risas, palabras indecorosas, amenazas sordas y feroces.

Pero sucedió que un soldado, al cual una cigarrera clavó las uñas en la nuca, echó a correr, trajo de la garita el fusil y apuntó al grupo: al instante mismo, un pánico indecible se apoderó de las más cercanas, y se oyeron gritos convulsivos, imprecaciones, súplicas desgarradoras, ayes de dolor que partían el alma, y las mujeres, en revuelto tropel, se precipitaron fuera del zaguán, y corrieron buscando la salida del patio, empujándose, cayendo, pisoteándose en su ciego terror, arracimadas como locas en la puerta, impidiéndose mutuamente salir, y chillando lo mismo que si todas las ametralladoras del mundo estuviesen apuntadas y prontas a disparar contra ellas.

Quedóse en medio del zaguán la insigne *Tribuna*, sola, rezagada, vencida, llena de cólera ante tan vergonzosa dispersión de sus ejércitos. Para mostrar que ella no temía ni se escapaba, fue saliendo a pasos lentos y llegó al patio en ocasión que la guardia, aprovechándose de ventaja fácilmente adquirida, expulsaba a las últimas revolucionarias, sin mostrar gran enojo. Por galantería, el soldado del fusil administró a Amparo un blando culatazo, diciéndole: «Ea..., afuera...» *La Tribuna* se volvió, mirólo con regia dignidad ofendida, y sacando el pito, silbó al soldado. Después cruzó la puerta, que se cerró en sus mismas espaldas, con gran estrépito de goznes y cerrojos.

[...]

MIAU
(1888)
de Benito Pérez Galdós

Don Ramón Villaamil, empleado en la administración del Estado,
es despedido dos meses antes de la jubilación. Él piensa que
la situación es pasajera y que, en consideración a su honradez,
laboriosidad y eficiencia, rápidamente será restituido a su antiguo
puesto, pero ve que pasa el tiempo y nadie se acuerda
de él, mientras que otros conocidos suyos, corruptos
o incapaces, se ven gratificados y ascendidos. Su perplejidad
va en aumento a lo largo de la obra y progresivamente
se debilitan los vínculos que le atan a una sociedad injusta.
Finalmente rompe con ellos
y busca en el suicidio la liberación total.

I

[...]

Despedía la señora en la puerta al chiquillo, cuando de un aposento próximo a la entrada de la casa salió una voz cavernosa y sepulcral, que decía:

–Puuura, Puuuura.

Abrió ésta una puerta que a la izquierda del pasillo de entrada había, y penetró en el llamado despacho, pieza de poco más de tres varas en cuadro, con ventana a un patio lóbrego. Como la luz del día era ya tan escasa, apenas se veía dentro del aposento más que el cuadro luminoso de la ventana. Sobre él se destacó un sombrajo largirucho, que, al parecer, se levantaba de un sillón, como si se desdoblase, y se estiró desperezándose, a punto que la temerosa y empañada voz decía:

–Pero, mujer, no se te ocurre traerme una luz. Sabes que estoy escribiendo, que anochece más pronto que uno quisiera, y me tienes aquí secándome la vista sobre el condenado papel.

Doña Pura fue hacia el comedor, donde ya su hermana estaba encendiendo una lámpara de petróleo. No tardó en aparecer la señora ante su marido con la luz en la mano. La reducida estancia y su habitante salieron de la oscuridad, como algo que se crea surgiendo de la nada.

–Me he quedado helado –dijo don Ramón Villaamil, esposo de doña Pura, el cual era un hombre alto y seco; los ojos, grandes y terroríficos; la piel, amarilla, toda ella surcada por pliegues enormes, en los cuales las rayas de sombra parecían manchas; las orejas, transparentes, largas y pegadas al cráneo; la barba, corta, rala y cerdosa, con las canas distribuidas caprichosamente, formando ráfagas blancas entre lo negro; el cráneo, liso y de color de hueso desenterrado, como si acabara de recogerlo de un osario para taparse con él los sesos. La robustez de la mandíbula, el grandor de la boca, la combinación de los tres colores –negro, blanco y amarillo– dispuestos en rayas; la ferocidad de los ojos negros, inducían a comparar tal cara con la de un tigre viejo y tísico que, después de haberse lucido en las exhibiciones ambulantes de fieras, no conserva ya de su antigua belleza más que la pintorreada piel.

–A ver, ¿a quién has escrito? –dijo la señora, acortando la llama, que sacaba su lengua humeante por fuera del tubo.

–Pues al jefe del personal, al señor de Pez, a Sánchez Botín y a todos los que puedan sacarme de esta situación. Para el ahogo del día (dando un gran suspiro), me he decidido a volver a molestar al amigo Cucúrbitas. Es la única persona verdaderamente cristiana entre todos mis amigos, un caballero, un hombre de bien, que se hace cargo de las necesidades... ¡Qué diferencia de otros! Ya ves la que me hizo ayer ese badulaque de Rubín. Le pinto nuestra necesidad; pongo mi cara en vergüenza suplicándole...; nada, un pequeño anticipo, y... ¡Sabe Dios la hiel, que uno traga antes de decidirse..., y lo que padece la dignidad!... Pues ese ingrato, ese olvidadizo, a quien tuve de escribiente en mi oficina siendo yo jefe de negociado de cuarta; ese desvergonzado, que por su audacia ha pasado por delante de mí, llegando nada menos que a gobernador, tiene la poca delicadeza de mandarme medio duro.

Villaamil se sentó, dando sobre la mesa un puñetazo que hizo saltar las cartas, como si quisieran huir atemorizadas. Al oír suspirar a su esposa irguió la amarilla frente, y con voz dolorida prosiguió así:

–En este mundo no hay más que egoísmo, ingratitud, y mientras más infamias se ven, más quedan por ver... Como ese bigardón de Montes, que me debe su carrera, pues yo le propuse para el ascenso en la Contaduría Central. ¿Creerás tú que ya ni siquiera me saluda? Se da una importancia que ni el ministro... Y va siempre adelante. Acaban de darle catorce mil. Cada año su ascensito, y olé, morena... Éste es el premio de la adulación y la bajeza. No sabe palotada de administración; no sabe más que hablar de caza con el director, y de la galga y del pájaro y qué sé yo qué... Tiene peor ortografía que un perro y escribe *hacha* sin *h* y echar con ella... Pero, en fin, dejemos a un lado estas miserias. Como te decía, he determinado acudir otra vez al amigo Cucúrbitas. Cierto que con éste van ya cuatro o cinco envites; pero no sé ya a qué santo volverme. Cucúrbitas comprende al desgraciado y le compadece, porque él también ha sido desgraciado. Yo le he conocido con los calzones rotos, y en el sombrero, dos dedos de grasa... Él sabe que soy agradecido... ¿Crees tú que se le agotará la bondad?... Dios tenga piedad de nosotros, pues si este amigo nos desampara, iremos todos a tirarnos por el Viaducto[1].

Dio Villaamil un gran suspiro, clavando los ojos en el techo. El tigre inválido se transfiguraba. Tenía la expresión sublime de un apóstol en el momento en que le están martirizando por la fe, algo del *San Bartolomé* de Ribera[2], cuando le suspenden del árbol y le descueran aquellos tunantes de gentiles, como si fuera un cabrito. Falta decir que este Villaamil era el que en ciertas tertulias de café recibió el apodo de *Ramsés II*.

–Bueno, dame la carta para Cucúrbitas –dijo doña Pura, que, acostumbrada a tales jeremíadas[3], las miraba como cosa natural y corriente–. Irá el niño volando a llevarla. Y ten confianza en la Providencia, hombre, como la tengo yo. No hay que amilanarse –con risueño optimismo–. Me ha dado la corazonada..., ya sabes tú que rara vez me equivoco..., la corazonada de que en lo que resta de mes te colocan.

II

–¡Colocarme! –exclamó Villaamil poniendo toda su alma en una palabra.

Sus manos, después de andar un rato por encima de la cabeza, cayeron desplomadas sobre los brazos del sillón. Cuando esto se verificó, ya doña Pura no estaba allí, pues había salido con la carta, y llamó desde la escalera a su nieto, que estaba en la portería.

Ya eran cerca de las seis cuando Luis salió con el encargo, no sin volver a hacer escalada breve en el escritorio de los memorialistas[4].

–Adiós, rico mío –le dijo Paca besándole–. Ven prontito para que vuelvas a la hora de comer –leyendo el sobre–. Pues digo..., no es

---

[1] *Viaducto*: lugar de Madrid escogido frecuentemente para suicidarse.
[2] Famoso cuadro de José Ribera, el Españoleto (1591-1652), pintor español que se caracterizó por el claroscuro de sus cuadros religiosos.
[3] *jeremíadas*: lamentaciones, como las del profeta Jeremías.
[4] *memorialista*: persona que escribe documentos por encargo.

floja caminata, de aquí a la calle del Amor de Dios. ¿Sabes bien el camino? ¿No te perderás?

¡Qué se había de perder, ¡contro!, si más de veinte veces había ido a la casa del señor de Cucúrbitas y a las de otros caballeros con recados verbales o escritos! Era el mensajero de las terribles ansiedades, tristezas e impaciencias de su abuelo; era el que repartía por uno y otro distrito las solicitudes del infeliz cesante, implorando una recomendación o un auxilio. Y en este oficio de peatón adquirió tan completo sabor topográfico, que recorría todos los barrios de la Villa sin perderse; y aunque sabía ir a su destino por el camino más corto, empleaba comúnmente el más largo por costumbre y vicio de paseante o por instintos de observador, gustando mucho de examinar escaparates, de oír, sin perder sílaba, discursos de charlantes que venden elixires o hacen ejercicios de prestidigitación. A lo mejor topaba con un mono cabalgando sobre un perro o manejando el molinillo de la chocolatera lo mismito que una *persona natural*; otras veces era un infeliz oso encadenado y flaco, o italianos, turcos, moros falsificados que piden limosna, haciendo cualquiera habilidad. También le entretenían los entierros muy lucidos, el riego de las calles, la tropa marchando con música, el ver subir la piedra sillar de un edificio en construcción, el Viático[5] con muchas velas, los encuartes[6] de los tranvías, el trasplantar árboles y cuantos accidentes ofrece la vía pública.

–Abrígate bien –le dijo Paca besándole otra vez y envolviéndole la bufanda en el cuello–. Ya podrían comprarte unos guantes de lana. Tienes las manos heladitas y con sabañones. ¡Ah, cuánto mejor estarías con tu tía Quintina! ¡Vaya, un beso a Mendizábal, y hala! *Canelo* irá contigo.

De debajo de la mesa salió un perro de bonita cabeza, las patas cortas, la cola enroscada, el color como de barquillo, y echó a andar gozoso delante de Luis. [...]

Por fin llegaron a la calle del Amor de Dios. Desde cierta ocasión en que *Canelo* tuvo unos ladridos con otro perro inquilino en la casa de Cucúrbitas, adoptó el temperamento prudente de no subir y esperar en la calle a su amigo. Éste subió al segundo, donde el incansable protector de su abuelo vivía, y el criado que le abrió la puerta púsole aquella noche muy mala cara.

–El señor no está.

....

[5] *Viático:* sacramento de la eucaristía que se administra a los cristianos que están en peligro de muerte.

[6] *encuartes:* caballerías de refuerzo que se añaden al tiro de un carruaje.

Pero Luisito, que tenía instrucciones de su abuelo para el caso de hallarse ausente la víctima, dijo que esperaría. Ya sabía que a las siete, infaliblemente, iba a comer el señor don Francisco Cucúrbitas. Sentóse el chico en el banco del recibimiento. Los pies no le llegaban al suelo, y los balanceaba como para hacer algo con que distraer el fastidio de aquel largo plantón. El perchero, de pino imitando roble viejo, con ganchos dorados para los sombreros, su espejo y los huecos para los paraguas, le había producido en otro tiempo gran admiración; pero ya le era indiferente. No así el gato, que de la parte interior de la casa solía venir a enredar con él. Aquella noche debía de estar ocupado el bicho, porque no aportó por el recibimiento; pero, en cambio, vio Luis a las niñas de Cucúrbitas, que eran simpáticas y graciosas. Solían acercarse a él, mirándole con lástima o con desdén, pero nunca le habían dicho una palabra halagüeña. La señora de Cucúrbitas, que a Luis le parecía, por lo gruesa y redonda, una imitación humana del elefante *Pizarro*, tan popular entonces entre los niños de Madrid, solía también dejarse rodar por allí, y ya conocía bien Cadalsito[7] sus pasos lentos y pesados. La señora llegaba al ángulo que el pasillo de la derecha formaba con el recibimiento, y desde aquel punto miraba con recelo al mensajero. Después se internaba sin decirle una palabra. Desde que el chico la sentía venir se levantaba rígido, como un muñeco de resortes, recordando las lecciones de urbanidad que le había dado su abuelo.

–¿Cómo está usted?... ¿Cómo lo pasa usted?

Pero la mole aquella, rival en corpulencia de Paca la memorialista, no se dignaba contestarle, y se alejaba haciendo estremecer el suelo, como la máquina de apisonar que Luis había visto en las calles de Madrid.

Aquella noche fue muy tarde a comer el respetable Cucúrbitas. Observó el nieto de Villaamil que las niñas estaban impacientes. La causa era que tenían que ir al teatro y deseaban comer pronto. Por fin sonó la campanilla, y el criado fue presuroso a abrir la puerta, mientras las pollas, que conocían los pasos del papá y su manera de llamar, corrían por los pasillos dando voces para que se sirviera la comida. Al entrar el señor y ver a Luisín, dio a entender con ligera mueca su desagrado. El niño se puso en pie, soltando el saludo como un tiro a boca de jarro, y Cucúrbitas, sin contestarle, metióse en el despacho. Caldalsito, aguardando a que el señor le mandara pasar, como otras veces, vio que entraron las hijas dando prisa a su papá, y oyó a éste decir:

–Al momento voy..., que saquen la sopa.

---

[7] *Cadalsito:* Luisito se apellidaba Cadalso.

Y no pudo menos de considerar cuán rica sopa sería aquella que a sacar iban. Esto pensaba, cuando una de las señoritas salió del despacho y le dijo:

–Pasa, tú.

Entró gorra en mano, repitiendo su saludo, al cual se dignó al fin contestar don Francisco con paternal acento. Era un señor muy bueno, según opinión de Luis, el cual, no entendiendo la expresión ligeramente ceñuda que tenía en su cara lustrosa de próvido funcionario, se figuró que haría aquella noche lo mismo que las demás. Cadalsito recordaba muy bien el trámite: el señor de Cucúrbitas, después de leer la carta de Villaamil, escribía otra o, sin escribir nada, sacaba de su cartera un billetito verde o encarnado y, metiéndolo en un sobre, se lo daba y decía: «Anda, hijo; ya estás despachado.» También era cosa corriente sacar del bolsillo duros o pesetas, hacer un lío y dárselo, acompañando su acción de las mismas palabras de siempre, con esta añadidura: «Ten cuidado no lo pierdas o no te lo robe algún tomador[8]. Mételo en el bolsillo del pantalón... Así..., guapo mozo. Anda con Dios.»

Aquella noche, ¡ay!, en pie, delante de la mesa de *ministro*, observó Luis que don Francisco escribía una carta frunciendo las peludas cejas, y que la cerraba sin meter dentro billete ni moneda alguna. Notó también el niño que al echar la firma daba mi hombre un gran suspiro y que después le miraba a él con profundísima compasión.

–Que usted lo pase bien –dijo Cadalsito cogiendo la carta, y el buen señor le puso la mano en la cabeza.

Al despedirse le dio dos perros[9] grandes, añadiendo a su acción generosa estas magnánimas palabras:

–Para que compres pasteles.

Salió el chico tan agradecido... Pero por la escalera abajo le asaltó una idea triste: «Hoy no lleva nada la carta.» Era, en efecto, la primera vez que salía de allí con la carta vacía. Era la primera vez que don Francisco le daba perros a él, para su bolsillo privado y fomentar el vicio de comer bollos. En todo esto se fijó con la penetración que le daba la precoz experiencia de aquellos mensajes. «Pero ¡quién sabe! –dijo después con ideas sugeridoras por su inocencia–. Puede que le diga que le colocan mañana...»

[...]

___

[8] *tomador*: ratero.
[9] *perros*: monedas de poco valor.

III

[...]

Llegó por fin a su casa, y como le sintieran subir, Abelarda le abrió la puerta antes de que llamara. Su abuelo salió ansioso a recibirle, y el niño, sin decir una palabra, puso en sus manos la carta. Don Ramón fue hacia el despacho, palpándola antes de abrirla, y en el mismo instante doña Pura llamó a Luis para que fuera a comer, pues la familia estaba ya concluyendo. No le habían esperado porque tardaba mucho, y las señoras tenían que irse al teatro de prisa y corriendo para coger un buen puesto en el paraíso[10], antes de que se agolpara la gente. En dos platos tapados, uno sobre otro, le habían guardado al nieto su sopa y cocido, que estaban ya fríos cuando llegó a catarlos; mas como su hambre era tanta, no reparó en la temperatura.

Estaba doña Pura atando al pescuezo de su nieto la servilleta de tres semanas, cuando entró Villaamil a comer el postre. Su cara tomaba expresión de ferocidad sanguinaria en las ocasiones aflictivas, y aquel bendito, incapaz de matar una mosca, cuando le amargaba una pesadumbre parecía tener entre los dientes carne humana cruda, sazonada con acíbar en vez de sal. Sólo con mirarle comprendió doña Pura que la carta había venido *in albis*[11]. El infeliz hombre empezó a quitar maquinalmente las cáscaras a dos nueces resecas que en el plato tenía. Su cuñada y su hija le miraban también, leyendo en su cara de tigre caduco y veterano la pena que interiormente le devoraba. Por poner una nota alegre en cuadro tan triste, Abelarda soltó esta frase:

–Ha dicho Ponce que la ovación de esta noche será para la Pellegrini.

–Me parece una injusticia –afirmó doña Pura con sus cinco sentidos– que se quiera humillar a la Scolpi Rolla, que canta su parte de Amneris[12] muy a conciencia. Verdad que sus éxitos los debe más al buen palmito y a que enseña las piernas. Pero la Pellegrini, con tantos humos, no es ninguna cosa del otro jueves.

[...]

....

[10] *paraíso*: piso más alto del teatro.

[11] *in albis*: en blanco, sin nada.

[12] *Amneris:* personaje de la ópera *Aida*, de Giuseppe Verdi (1813-1901); es la hija del faraón y rival de la protagonista.

Villaamil, que nada de esto oía, se comió un higo paso, creo que tragándolo entero, y fue hacia su despacho con paso decidido, como quien va a hacer una atrocidad. Su mujer le siguió, y, cariñosa, le dijo:

–¿Qué hay? ¿Es que esa nulidad no te ha mandado nada?

–Cero –replicó Villaamil con voz que parecía salir del centro de la Tierra–. Lo que yo te decía: se ha cansado. No se puede usar un día y otro día... Me ha hecho tantos favores, tantos, que pedir más es temeridad. ¡Cuánto siento haberle escrito hoy!

–¡Bandido! –exclamó iracunda la señora, que solía dar esta denominación y otras peores a los amigos que se ladeaban para evitar el sablazo.

–Bandido, no –declaró Villaamil, que ni en los momentos de mayor tribulación se permitía ultrajar al *contribuyente*–. Es que no siempre se está en disposición de socorrer al prójimo. Bandido, no. Lo que es ideas, no las tiene ni las ha tenido nunca; pero eso no quita que sea uno de los hombres más honrados que hay en la Administración.

–Pues no será tanto –con enfado impertinente–, cuando le luce el pelo como le luce. Acuérdate de cuando fue compañero tuyo en la Contaduría Central. Era el más bruto de la oficina. Ya se sabía; descubierta una barbaridad, todos decían: «Cucúrbitas.» Después, ni un día cesante[13], y siempre para arriba. ¿Qué quiere decir esto? Que será muy bruto, pero que entiende mejor que tú la aguja de marear. ¿Y crees que no se hace pagar a tocateja el despacho de los expedientes?

–Cállate, mujer.

–¡Inocente!... Ahí tienes por lo que estás como estás, olvidado y en la miseria; por no tener ni pizca de trastienda y ser tan devoto de *San Escrúpulo bendito*. Créeme, eso ya no es honradez, es sosería y necedad. Mírate en el espejo de Cucúrbitas; él será todo lo melón que se quiera, pero verás cómo llega a director, quizá a ministro. Tú no serás nunca nada, y si te colocan, te darán un pedazo de pan, y siempre estaremos lo mismo –acalorándose–. Todo por tus gazmoñerías, porque no te haces valer, porque *fray modesto* ya sabes que no llegó nunca a ser guardián. Yo que tú, me iría a un periódico y empezaría a vomitar todas las picardías que sé de la Administración, los enjuagues que han hecho muchos que hoy están en candelero. Eso, cantar claro y caiga el que caiga..., desenmascarar a tanto pillo... Ahí duele. ¡Ah! Entonces verías cómo les faltaba tiempo para colocarte; verías cómo el director mismo entraba aquí, sombrero en mano, a suplicarte que aceptaras la credencial.

---

[13] *cesante*: funcionario público al que se priva de su empleo.

–Mamá, que es tarde –dijo Abelarda desde la puerta, poniéndose la toquilla.

–Ya voy. Con tantos remilgos, con tantos miramientos como tú tienes, con eso de llamarles a todos *dignísimos* y ser tan delicado y tan de ley que estás siempre montado al aire, como los brillantes, lo que consigues es que te tengan por un cualquiera. Pues sí –alzando el grito–, tú debías ser ya director, como esa luz, y no lo eres por mandria, por apocado, porque no sirves para nada, vamos, y no sabes vivir. No; si con lamentos y suspiros no te van a dar lo que pretendes. Las credenciales, señor mío, son para los que se las ganan enseñando los colmillos. Eres inofensivo, no muerdes, ni siquiera ladras, y todos se ríen de ti. Dicen: «¡Ah, Villaamil, qué honradísimo es! ¡Oh el empleado *probo*!...» Yo cuando me enseñan un *probo*, le miro a ver si tiene los codos fuera. En fin, que te caes de honrado. Decir honrado, a veces, es como decir ñoño. Y no es eso, no es eso. Se puede tener toda la integridad que Dios manda y ser un hombre que mire por sí y por su familia.

–Déjame en paz –murmuró Villaamil desalentado, sentándose en una silla y derrengándola.

–Mamá –repetía la señorita, impaciente.

–Ya voy, ya voy.

–Yo no puedo ser sino como Dios me ha hecho –declaró el infeliz cesante–. Pero ahora no se trata de que yo sea así o asado; trátase del pan de cada día, del pan de mañana. Estamos como queremos, sí... Tenemos cerrado el horizonte por todas partes. Mañana...

–Dios no nos abandonará –dijo Pura, intentando robustecer su ánimo con esfuerzos de esperanza que parecían pataleos de náufrago–. Estoy tan acostumbrada a la escasez, que la abundancia me sorprendería, y hasta me asustaría... Mañana...

No acabó la frase, ni aun con el pensamiento. Su hija y su hermana le daban tanta prisa, que se arregló apresuradamente. Al envolverse en la cabeza la toquilla azul, dio esta orden a su marido:

–Acuesta al niño. Si no quiere estudiar, que no estudie. Bastante tiene que hacer el pobrecito, porque mañana supongo que saldrá a repartirte dos arrobas de cartas.

El buen Villaamil sintió un gran alivio en su alma cuando las vio salir. Mejor que su familia le acompañaba su propia pena, y se entretenía y consolaba con ella mejor que con las palabras de su mujer, porque su pena, si le oprimía el corazón, no le arañaba la cara, y doña Pura, al cuestionar con él, era toda pico y uñas toda.

[...]

SUPERACIÓN
DEL NATURALISMO

El naturalismo tuvo su auge en la década de 1880. Después,
y de una manera paulatina, van cobrando mayor importancia
otros valores y otras formas de novelar, de las que pueden
dar idea obras como Su único hijo, *de Clarín, y* Misericordia,
de Pérez Galdós.

MISERICORDIA
(1897)
de Benito Pérez Galdós

Benina es una mujer ya entrada en años que ha sido sirvienta
de doña Francisca, una dama altiva y manirrota que ha
dilapidado su hacienda. Cuando se agotan los medios
de subsistencia, la vieja Nina se lanza a la calle para mendigar
y así poder mantener a la señora y a su hija, pero para evitarles
la humillación finge trabajar en casa de un sacerdote. Además
también auxilia a cuanto necesitado se pone a su alcance.
En el momento en que doña Francisca cambia de fortuna, se olvida
de los desvelos de Nina y la aleja de ella. Rápidamente Nina supera
la gran decepción y se dispone a socorrer al ciego Almudena,
aquejado de una enfermedad posiblemente contagiosa. La gran
dimensión espiritual de Nina se pone de manifiesto al final cuando
la nuera de su señora acude a ella para calmar su mala conciencia
atormentada y, sin ningún rencor, Nina la tranquiliza.

VI

Casi no es hipérbole decir que la *señá Benina,* al salir de Santa
Casilda, poseyendo el incompleto duro que calmaba sus mortales angustias, iba por rondas, travesías y calles como una flecha. Con sesenta
años a la espalda, conservaba su agilidad y viveza, unidas a una perseverancia inagotable. Se había pasado lo mejor de su vida en un ajetreo
afanoso, que exigía tanta actividad como travesura, esfuerzos locos de

la mente y de los músculos, y en tal enseñanza se había fortificado de cuerpo y espíritu, formándose en ella el temple extraordinario de mujer que irán conociendo los que lean esta puntual historia de su vida. Con increíble presteza entró en una botica de la calle de Toledo; recogió medicinas que había encargado muy de mañana; después hizo parada en la carnicería y en la tienda de ultramarinos, llevando su compra en distintos envoltorios de papel, y, por fin, entró en una casa de la calle Imperial[1], próxima a la rinconada en que está el Almotacén y Fiel Contraste[2]. Deslizóse a lo largo del portal angosto, obstruido y casi intransitable por los colgajos de un comercio de cordelería que en él existe; subió la escalera, con rápidos andares hasta el principal, con moderado paso hasta el segundo; llegó jadeante al tercero, que era el último, con honores de sotabanco. Dio vuelta a un patio grande, por galería de emplomados cristales, de suelo desigual, a causa de los hundimientos y desniveles de la vieja fábrica, y al fin llegó a una puerta de cuarterones, despintada; llamó... Era su casa, la casa de su señora, la cual, en persona, tentando las paredes, salió al ruido de la campanilla, o más bien afónico cencerreo, y abrió, no sin la precaución de preguntar por la mirilla, cuadrada, defendida por una cruz de hierro.

–Gracias a Dios, mujer... –le dijo en la misma puerta–. ¡Vaya unas horas! Creí que te había cogido un coche, o que te había dado un accidente.

Sin chistar siguió *Benina* a su señora hasta un gabinetito próximo, y ambas se sentaron. Excusó la criada las explicaciones de su tardanza por el miedo que sentía de darlas, y se puso a la defensiva esperando a ver por dónde salta doña Paca y qué posiciones tomaba en su irascible genio. Algo la tranquilizó el tono de las primeras palabras con que fue recibida; esperaba ella una fuerte reprimenda, vocablos displicentes. Pero la señora parecía estar de buenas, domado, sin duda, el áspero carácter por la intensidad del sufrimiento. *Benina* se proponía, como siempre, acomodarse al son que le tocara la otra, y a poco de estar junto a ella, cambiadas las primeras frases, se tranquilizó.

–¡Ay, señora, qué día! Yo estaba deshecha; pero no me dejaban, no me dejaban salir de aquella bendita casa.

–No me lo expliques –dijo la señora cuyo acentillo andaluz persistía, aunque muy atenuado, después de cuarenta años de residencia

---

[1] La obra transcurre en Madrid y los lugares que aparecen son históricos.

[2] *Almotacén y Fiel Contraste:* oficina donde se contrastan o comprueban pesas y medidas.

en Madrid–. Ya estoy al tanto. Al oír las doce, la una, las dos, me decía yo: «Pero, Señor, ¿por qué tarda tanto la *Nina*?» Hasta que me acordé...

–Justo...

–Me acordé..., como tengo en mi cabeza todo el almanaque..., de que hoy es San Romualdo, confesor y obispo de Farsalia...

–Cabal.

–Y son los días[3] del señor sacerdote en cuya casa estás de asistenta.

–Si yo pensara que usted lo había de adivinar, habría estado más tranquila –afirmó la criada, que en su extraordinaria capacidad para forjar y exponer mentiras supo aprovechar el sólido cable que su ama le arrojaba–. ¡Y que no ha sido floja la tarea!

–Habrás tenido que dar un gran almuerzo. Ya me lo figuro. ¡Y que no serán cortos de tragaderas los curánganos de San Sebastián, compañeros y amigos de tu don Romualdo[4]!

–Todo lo que se diga es poco.

–Cuéntame: ¿qué les has puesto? –preguntó ansiosa la señora, que gustaba de saber lo que se comía en las casas ajenas–. Ya estoy al tanto. Les harías una mayonesa.

–Lo primero un arroz, que me quedó muy a punto. ¡Ay, Señor, cuánto lo alabaron! Que si era yo la primera cocinera de toda la Europa..., que si por vergüenza no se chupaban los dedos...

–¿Y después?

–Una pepitoria que ya la quisieran para sí los ángeles del Cielo. Luego, calamares en su tinta...; luego...

–Pues aunque te tengo dicho que no me traigas sobras de ninguna casa, pues prefiero la miseria que me ha enviado Dios a chupar huesos de otras mesas..., como te conozco, no dudo que habrás traído algo. ¿Dónde tienes la cesta?

Viéndose cogida, *Benina* vaciló un instante; mas no era mujer que se arredraba ante ningún peligro, y su maestría para el embuste le sugirió pronto el hábil quite:

–Pues, señora, dejé la cesta, con lo que traje, en casa de la señorita Obdulia[5]; que lo necesita más que nosotras.

----

[3] *los días*: el día de su santo.

[4] *Don Romualdo*: es un personaje inventado por Benina. *San Sebastián:* iglesia de la calle de Atocha; en sus puertas pedían limosna los mendigos.

[5] *Obdulia*: hija de doña Francisca que vive, como la madre, en la indigencia y a la cual también mantiene Nina.

–Has hecho bien. Te alabo la idea, *Nina*. Cuéntame más. Y un buen solomillo, ¿no pusiste?

–¡Anda, anda! Dos kilos y medio, señora. Sotero Rico me lo dio de lo superior.

–¿Y postres, bebidas?...

–Hasta *Champagne de la Viuda*. Son el diantre los curas, y de nada se privan... Pero vámonos adentro, que es muy tarde y estará la señora desfallecida.

–Lo estaba; pero..., no sé; parece que me he comido todo eso de que has hablado... En fin, dame de almorzar.

–¿Qué ha tomado? ¿El poquito de cocido que le aparté anoche?

–Hija, no pude pasarlo. Aquí me tienes con media onza de chocolate crudo.

–Vamos, vamos allá. Lo peor es que hay que encender lumbre. Pero pronto despacho... ¡Ah! También le traigo las medicinas. Eso lo primero.

–¿Hiciste todo lo que te mandé? –preguntó la señora, en marcha las dos hacia la cocina–. ¿Empeñaste mis dos enaguas?

–¿Cómo no? Con las dos pesetas que saqué y otras dos que me dio don Romualdo por ser su santo, he podido atender a todo.

–¿Pagaste el aceite de ayer?

–¡Pues no!

–¿Y la tila y la sanguinaria?

–Todo, todo... Y aún me ha sobrado, después de la compra, para mañana.

–¿Querrá Dios traernos mañana un buen día? –dijo con honda tristeza la señora, sentándose en la cocina, mientras la criada, con nerviosa prontitud, reunía astillas y carbones.

–¡Ay! Sí, señora; téngalo por cierto.

–¿Por qué me lo aseguras, *Nina*?

–Porque lo sé. Me lo dice el corazón. Mañana tendremos un buen día, estoy por decir que un gran día.

–Cuando lo veamos te diré si aciertas... No me fío de tus corazonadas. Siempre estás con que mañana, que mañana...

–Dios es bueno.

–Conmigo no lo parece. No se cansa de darme golpes; me apalea, no me deja respirar. Tras un día malo, viene otro peor. Pasan años aguardando el remedio, y no hay ilusión que no se me convierta en desengaño. Me canso de sufrir, me canso también de esperar. Mi esperanza es traidora, y como me engaña siempre, ya no quiero esperar cosas buenas, y las espero malas para que vengan... siquiera regulares.

-Pues yo que la señora -dijo *Benina* dándole al fuelle- tendría confianza en Dios, y estaría contenta... Ya ve que yo lo estoy..., ¿no me ve? Yo siempre creo que cuando menos lo pensemos nos vendrá el golpe de suerte y estaremos tan ricamente, acordándonos de estos días de apuros y desquitándonos de ellos con la gran vida que nos vamos a dar.

[...]

XV

El largo descanso en el café le permitió recorrer *como una exhalación* la distancia entre el Rastro y la calle de la Cabeza, donde vivía la señorita Obdulia, a quien deseaba visitar y socorrer antes de irse a casa, pues era indudable que a la niña correspondía la mitad, perra más o menos, de uno de los duros de don Carlos[6]. A las doce menos cuarto entraba en el portal, que por lo siniestro y húmedo parecía la puerta de una cárcel. En lo bajo había un establecimiento de *burras de leche*[7], con borriquitas pintadas en la muestra, y dentro vivían, sin aire ni luz, las pacíficas nodrizas de tísicos, encanijados y catarrosos. En la portería daban asilo a un conocido de *Benina,* el ciego Pulido, que era también punto fijo en San Sebastián[8]. Con él y con el burrero charló un rato antes de subir, y ambos le dieron dos noticias muy malas: que iba a subir el pan y que había bajado mucho la bolsa, señal lo primero de que no llovía, y lo segundo de que estaba al caer una revolución gorda, todo porque los *artistas*[9] pedían *las ocho horas* y los amos no querían darlas. Anunció el burrero con profética gravedad que pronto se quitaría todo el dinero metálico y no quedaría más que el papel, hasta para las pesetas, y que echarían nuevas contribuciones, *inclusive* por rascarse y por darse de quién a quién los buenos días. Con estas malas impre-

---

[6] *Don Carlos:* cuñado de doña Francisca; le da a Nina dos duros haciendo alarde de caridad, la cual registra en sus libros de gastos.

[7] *burras de leche:* las destinadas a producir leche; metafóricamente se las denomina unas líneas más abajo *nodrizas* de los débiles, ya que sólo consumían leche los lactantes o los enfermos.

[8] *punto fijo en San Sebastián:* que pedía limosna en la puerta de la citada iglesia de San Sebastián.

[9] *artistas:* los obreros, que reivindicaban la jornada laboral de ocho horas.

siones subió *Benina* la escalera, tan descansada como lóbrega, con los peldaños en panza, las paredes desconchadas, sin que faltaran los letreros de carbón o lápiz garabeteados junto a las puertas de cuarterones, por cuyo quicio inferior asomaba el pedazo de estera, ni los faroles sucios que de día semejaban urnas de santos. En el primer piso, bajando del cielo, con vecindad de gatos y vistas magníficas a las tejas y buhardillones, vivía la señorita Obdulia; su casa por la anchura de las habitaciones destartaladas y frías, hubiera parecido convento, a no ser por la poca elevación de los techos, que casi se cogían con la mano. Esteras y alfombras allí eran tan desconocidas como en el Congo las levitas y chisteras; sólo en lo que llamaban gabinete había un pedazo de fieltro raído, rameado de azul y rojo, como de dos varas en cuadro. Los muebles de baratillo declaraban con sus chapas rotas, sus patas inválidas, sus posturas claudicantes, el desastre de sus infinitas peregrinaciones en los carros de mudanza.

La misma Obdulia abrió la puerta a *Benina,* diciéndole que la había sentido subir, y al punto se vio la buena mujer como asaltada de una pareja de gatos muy bonitos, que mayando la miraban, el rabo tieso, frontando su lomo contra ella.

–Los pobres animalitos –dijo la *niña* con más lástima de ellos que de sí misma– no se han desayunado todavía.

Vestía la hija de doña Paca una bata de franela color rosa, de corte elegante, ya descompuesta por el mucho uso, las delanteras manchadas de chocolate y grasa, algún siete en las mangas, la falda arrastrada; revelándose en todo, como prenda adquirida de lance, que a su dueña le venía un poco ancha, por aquello de que la difunta era mayor[10]. De todos modos, tal vestimenta se avenía mal con la pobreza de la esposa de Luquitas.

–¿No ha venido anoche tu marido? –le dijo *Benina,* sofocada de la penosa ascensión.

–No, hija, ni falta que me hace. Déjale en su café y en sus casas de perdición, con las *socias*[11] que le han sorbido el seso.

–¿No te han traído nada de casa de tus suegros?

–Hoy no toca. Ya sabes que lo dejaron en un día sí y otro no. No ha venido más que Juana Rosa a peinarme y con ella se fue mi Andrea. Van a comer juntas en casa de su tía.

[10] *la difunta era mayor:* la ropa descrita había pertenecido a otra persona.
[11] *socias:* prostitutas.

CLÁSICOS ESENCIALES SANTILLANA

–De modo que estás como los camaleones[12]. No te apures, que Dios aprieta, pero no ahoga, y aquí estoy yo para que no ayunes más de la cuenta, que el cielo bien ganado te lo tienes ya... Siento una tosecilla... ¿Ha venido ese caballero?

–Sí; ahí está desde las diez. Con las cosas bonitas que cuenta me entretiene, y casi no me acuerdo de que no hay en casa más que dos onzas de chocolate, media docena de dátiles y algunos mendrugos de pan... Si has de traerme algo, sea lo primero para estos pobres gatos aburridos que desde el amanecer no me dejan vivir. Parece que me hablan, y dicen: «Pero ¿qué es de nuestra buena *Nina*, que no viene con nuestra cordillita[13]?»

–En seguida traeré para remediaros a todos –dijo la anciana–. Pero antes quiero saludar a ese caballero rancio, que es tan fino y atento con las señoras.

Entró en el llamado gabinete, y el señor de Ponte y Delgado se deshizo con ella en afectuosos cumplidos de buena sociedad.

–Siempre echándola a usted de menos, *Benina...*, y muy desconsolado cuando *brilla* usted por su ausencia.

–¡Que brillo por mi ausencia!... Pero ¿qué disparates está usted diciendo, señor de Ponte? O es que no entendemos nosotras, las mujeres de pueblo, esos términos tan *fisnos...* Ea, quédense con Dios. Yo vuelvo pronto, que tengo que dar de almorzar a la niña y a los señores gatos. Y aunque el señor don Frasquito no quiera, ha de hacer aquí penitencia. Le convido yo..., no, le convida la señorita.

–¡Oh, cuánto honor!... Lo agradezco infinito. Yo pensaba retirarme.

–Sí, ya sabemos que siempre está usted convidado en casas de la grandeza. Pero como es tan bueno, se dizna sentarse a la mesa de los pobres.

–Consideración que tanto le agradecemos –dijo Obdulia–. Ya sé que para el señor de Ponte es un sacrificio aceptar estas pobrezas.

–¡Por Dios, Obdulia!...

–Pero su mucha bondad le *inspira* estos y otros mayores sacrificios. ¿Verdad, Ponte?

–Ya le he reñido a usted, amiga mía, por ser tan paradójica. Llama sacrificio al mayor placer que puede existir en la vida.

---

[12] *estar como los camaleones*: dicho aplicado a la situación en que se espera recibir alimento.

[13] *cordillita*: trenza de tripas de carnero que se da a los gatos.

Antología de la novela realista / **142** / *Misericordia*

–¿Tienes carbón?... –preguntó *Benina* bruscamente, como quien arroja una piedra en un macizo de flores.

–Creo que hay algo –replicó Obdulia–: y si no, lo traes también.

Fue *Nina* para adentro, y habiendo encontrado combustible, aunque escaso, se puso a encender lumbre y a preparar sus pucheros. Durante la prosaica operación, conversaba con las astillas y los carbones, y sirviéndose del fuelle como de un conducto fonético, les decía: «Voy a tener otra vez el gusto de dar de comer a ese pobre hambriento, que no confiesa su hambre por la vergüenza que le da... ¡Cuánta miseria en este mundo, Señor! Bien dicen que quien más ha visto, más ve. Y cuando se cree una que es el acabóse de la pobreza resultaba que hay otros más miserables, porque una se echa a la calle, y pide, y le dan, y come, y con medio panecillo, se alimenta... Pero estos que juntan la vergüenza con la gana de comer, y son delicados y medrosicos para pedir; estos que tuvieron posibles y educación, y no quieren rebajarse... ¡Dios mío, qué desgraciados son! Lo que discurrirán para matar el gusanillo... Si me sobra dinero, después de darle de almorzar, he de ver cómo me las compongo para pagar el catre de esta noche. Pero, ¡ay!, no..., que necesitará ocho reales. Me da el corazón que anoche no pagó..., y como esa condenada Bernarda no fía más que una vez..., será preciso pagarle toda la cuenta... y a saber si le ha fiado dos o tres noches... No, aunque yo tuviera el dinero, no me atrevería a dárselo; y aunque se lo ofreciese, primero dormía al raso que cogerlo de estas manos pobres... ¡Señor, qué cosas, qué cosas se van viendo cada día en este mundo tan grande de la miseria!»

En tanto, el lánguido Frasquito y la esmirriada Obdulia platicaban gozosos de cosas gratas, harto distantes de la triste realidad. Desde que vio entrar a la Providencia, en figura de *Benina,* sintióse la niña calmada de su ansiedad y sobresalto, y el caballero también respiró por el propio motivo feliz, y se le alegraron las pajarillas[14] viendo conjurado, por aquel día, un grave conflicto de subsistencias. Uno y otro, marchita dama y galán manido, poseían, en medio de su radical penuria, una *riqueza* inagotable, eficacísima, casi acuñable, extraída de la mina de su propio espíritu; y aunque usaban de los productos de este venero con prodigalidad, mientras más gastaban más superabundancia tenían sus caudales. Consistía, pues, esta riqueza en la facultad preciosa de desprenderse de la realidad, cuando querían, trasladándose a un mundo imaginario, todo bienandanzas, placeres y dichas. Gracias a esta divina facultad, se daba el caso de que ni siquiera advirtiesen en muchas ocasiones sus enormes desdichas, pues cuando se veían privados absoluta-

---

[14] *se le alegraron las pajarillas:* mostró gran satisfacción por lo que había oído.

mente de los bienes positivos, sacaban de la imaginación el cuerno de Amaltea[15], y lo agitaban para ver salir de él los bienes ideales. Lo extraño era que el señor de Ponte Delgado, con tener tres veces lo menos la edad de Obdulia, casi la superaba en poder imaginativo, pues en la declinación de la vida se renovaban en él los aleteos de la infancia.

Don Frasquito era lo que vulgarmente se llama un alma de Dios. Su edad no se sabía, ni en parte alguna constaba, pues se había quemado el archivo de la iglesia de Algeciras donde le bautizaron. Poseía el raro privilegio físico de una conservación que pudiera competir con la de las momias de Egipto, y que no alteraban contratiempos ni privaciones. Su cabello se conservaba negro y abundante; la barba, no; pero con un poco de betún casi armonizaban una con otro. Gastaba melena, no de las románticas, desgreñadas y foscas, sino de las que se usaron hacia el 50, lustrosa, con raya lateral, los mechones bien ahuecaditos sobre las orejas. El movimiento de la mano para ahuecar los dos mechones y modelarlos en su sitio era uno de esos resabios fisiológicos, de *segunda naturaleza,* que llegan a ser parte integrante de la primera. Pues con su melenita de cocas[16] y su barba pringosa y retinta, el rostro de Frasquito Ponte era de los que llaman *aniñados,* por no sé qué expresión de ingenuidad y confianza que veríais en su nariz chica, y en sus ojos, que fueron vivaces y ya eran mortecinos. Miraban siempre con ternura, lanzando sus rayos de ocaso melancólico en medio de un celaje de lagrimales pitañosos[17], de pestañas ralas, de párpados rugosos, de extensas patas de gallo.

[...]

XVIII

Fuese Ponte Delgado, despidiéndose con afectuosas salutaciones y sonrisas tristes, y tras él *Benina,* que apresuró el paso para alcanzarle en el portal o en la calle, deseosa de echar con él un parrafito.

[...]

[15] *cuerno de Amaltea:* también llamado cuerno de la abundancia.

[16] *melenita de cocas:* cabello dividido en dos porciones que se sujetan detrás de las orejas dejando la frente despejada.

[17] La mirada de Ponte está velada por las legañas (*pitañosos:* legañosos), como los rayos de sol del ocaso por tenues nubes (*celaje*).

XIX

–Sí, don Frasco –le dijo codeándose con él en la calle de San Pedro Mártir–. Usted no tiene confianza conmigo, y debe tenerla. Yo soy pobre, más pobre que las ratas; y Dios sabe las amarguras que paso para mantener a mi señora y a la niña y mantenerme a mí... Pero hay quien me gana en pobreza, y ese pobre de más *solenidá* que nadie es usted... No diga que no.

–*Señá Benina,* repito que es usted un ángel.

–Sí..., de cornisa... Yo no quiero que usted esté tan desamparado. ¿Por qué le ha hecho Dios tan vergonzoso? Buena es la vergüenza; pero no tanta, señor... Ya sabemos que el señor de Ponte es persona decente; pero ha venido a menos, tan a menos, que no se lo lleva el viento porque no tiene por dónde agarrarlo. Pues bueno: yo soy *Juan Claridades;* después de atender a todo lo del día, me ha sobrado una peseta. Téngala...

–Por Dios, *señá Benina* –dijo Frasquito palideciendo primero, después rojo.

–No haga melindres, que le vendrá muy bien para que pueda pagarle a Bernarda la cama de anoche.

–¡Qué ángel, santo Dios, qué ángel!

–Déjese de *angelorios* y coja la moneda. ¿No quiere? Pues usted se lo pierde. Ya verá cómo las gasta la *dormilera,* que no fía más que una noche, y apurando mucho, dos. Y no salga diciendo que a mí me hace falta. ¡Como que no tengo otra! Pero yo me gobernaré como pueda para sacar el diario de mañana de debajo de las piedras... Que la tome, digo.

–*Señá Benina*, he llegado a tal extremidad de miseria y humillación, que aceptaría la peseta, sí, señora, la aceptaría olvidándome de quién soy y de mi dignidad, etcétera...; pero ¿cómo quiere usted que yo *reciba ese anticipo*, sabiendo, como sé, que usted pide limosna para atender a su señora? No puedo, no... Mi conciencia se subleva...

–Déjese de sublevaciones, que no somos aquí de *tropa.* O usted se lleva la pesetilla, o me enfado, como Dios es mi padre. Don Frasquito, no haga papeles, que es usted más mendigo que el inventor del hambre. ¿O es que necesita más dinero, porque le debe más a la Bernarda? En este caso, no puedo dárselo, porque no lo tengo... Pero no sea usted lila, don Frasquito, ni se haga de mieles, que esa lagartona de la Bernarda se lo comerá vivo, si no le acusa las cuarenta[18]. A un parro-

---

[18] *acusar las cuarenta:* cantar las cuarenta, decir claramente lo que uno piensa, aunque moleste.

quiano como usted, *de la aristocracia,* no se le niega el hospedaje porque deba, un suponer, tres noches, cuatro noches... Plántese el buen
Frasquito, con cien mil pares, y verá cómo la Bernarda agacha las orejas... Le da usted sus cuatro reales a cuenta, y... échese a dormir tranquilo en el camastro.

O no se convencía Ponte, o convencido de lo bueno que sería
para él la posesión de la peseta, le repugnaba el acto material de extender la mano y recibir la limosna. *Benina* reforzó su argumentación diciéndole:

–Y puesto que es el niño tan vergonzoso y no se atreve con su
patrona ni aun dándole a cuenta la *cantidá,* yo le hablaré a Bernarda,
yo le diré que no le riña ni le apure... Vamos, tome lo que le doy, y no
me fría más la sangre, señor don Frasquito.

Y sin darle tiempo a formular nuevas protestas y negativas, le
cogió la mano, le puso en ella la moneda, cerróle el puño a la fuerza y
se alejó corriendo. Ponte no hizo ademán de devolverle el dinero ni de
arrojarlo. Quedóse parado y mudo; contempló a la *Benina* como a visión que se desvanece en un rayo de luz, y conservando en su mano izquierda la peseta, con la derecha sacó el pañuelo y se limpió los ojos,
que le lloraban horrorosamente. Lloraba de irritación oftálmica senil, y
también de alegría, de admiración, de gratitud.

Aún tardó *Benina* más de una hora en llegar a la calle Imperial, porque antes pasó por la de la Ruda a hacer sus compras. Éstas
hubieron de ser al fiado, pues se le había concluido el dinero. Recaló
en su casa después de las dos, hora no intempestiva, ciertamente;
otros días había entrado más tarde, sin que la señora por ello se enfa-
dara. Dependía el ser bien o mal recibida de la racha de humor con
que a doña Paca cogía en el momento de entrar. Aquella tarde, por
desgracia, la pobre señora rondeña[19] se hallaba en una de sus más
violentas crisis de irritabilidad nerviosa. Su genio tenía erupciones re-
pentinas, a veces determinadas por cualquier contrariedad insignifi-
cante, a veces por misterios del organismo difíciles de apreciar. Ello
es que antes que *Benina* traspasara la puerta, doña Francisca le echó
esta rociada:

–¿Te parece que son éstas horas de venir? Tengo yo que hablar
con don Romualdo para que me diga la hora a que sales de su casa...
Apuesto a que te descuelgas ahora con la mentira de que fuiste a ver a
la niña y que has tenido que darle de comer... ¿Piensas que soy idiota y
que doy crédito a tus embustes? Cállate la boca... No te pido explica-

---

[19] *rondeña:* nacida en Ronda.

ciones, ni las necesito, ni las creo; ya sabes que no creo nada de lo que me dices, embustera, enredadora.

Conocedora del carácter de la señora, *Benina* sabía que el peor sistema contra sus arrebatos de furor era contradecirla, darle explicaciones, sincerarse y defenderse. Doña Paca no admitía razonamientos, por juiciosos que fuesen. Cuanto más lógicas y justas eran las aclaraciones del contrario, más se enfurruñaba ella. No pocas veces *Benina,* inocente, tuvo que declararse culpable de las faltas que la señora le imputaba, porque, haciéndolo así, se calmaba más pronto.

–¿Ves cómo tengo razón? –proseguía la señora, que cuando se ponía en tal estado era de lo más insoportable que imaginarse puede–. Te callas...; quien calla, otorga. Luego es cierto lo que yo digo; yo siempre estoy al tanto... Resulta lo que pensé: que no has subido a casa de Obdulia ni ése es el camino. Sabe Dios dónde habrás estado de pingo. Pero no te dé cuidado, que yo lo averiguaré... ¡Tenerme aquí sola, muerta de hambre!... ¡Vaya una mañana que me has hecho pasar! He perdido la cuenta de los que han venido a cobrar piquillos de las tiendas, cantidades que no se han pagado ya por tu desarreglo... Porque, la verdad, yo no sé dónde echas tú el dinero... Responde, mujer...; defiéndete siquiera, que si a todo das la callada por respuesta, me parecerá que aún te digo poco.

Benina replicó con humildad lo dicho anteriormente: que había concluido tarde en casa de don Romualdo; que don Carlos Trujillo la entretuvo la mar de tiempo; que había ido después a la calle de la Cabeza...

[...]

Sin dar tiempo a que la delincuente se explicara, salió por este otro registro:

–¿Y qué me cuentas, mujer? ¿Qué recibimiento te hizo mi pariente don Carlos? ¿Qué tal? ¿Está bueno? ¿No revienta todavía? No necesitas decirme nada, porque como si hubiera estado yo escondida detrás de una cortina, sé todo lo que hablasteis... ¿A que no me equivoco? Pues te dijo que lo que a mí me pasa es por mi maldita costumbre de no llevar cuentas. No hay quien le apee de esa necedad. Cada loco con su tema; la locura de mi pariente es arreglarlo todo con números... Con ellos se ha enriquecido, robando a la Hacienda y a los parroquianos; con ellos quiere al fin de la vida salvar su alma, y a los pobres nos recomienda la medicina de los números, que a él no le salva ni a nosotros nos sirve para nada. ¿Conque acierto? ¿Fue esto lo que te dijo?

–Sí, señora. Parece que lo estaba usted oyendo.

–Y después de machacar con esa monserga del Debe y Haber, te habrá dado una limosna para mí... Ignora que mi dignidad se subleva al recibirla. Le estoy viendo abrir las gavetas como quien quiere y no quiere, coger el taleguito en que tiene los billetes, ocultándolo para que no lo vieras tú; le veo sobar el saquito, guardarlo cuidadosamente; le veo echar la llave... Y el muy cochino se descuelga con una porquería. No puedo precisar la cantidad que te habrá dado para mí, porque es tan difícil anticiparse a los cálculos de la avaricia...; pero desde luego te aseguro, sin temor de equivocarme, que no ha llegado a los 40 duros.

La cara que puso *Benina* al oír esto no pudo describirse. La señora, que atentamente la observaba, palideció, y dijo después de breve pausa:

–Es verdad: me he corrido mucho; 40 no; pero, aun con lo cicatero y mezquino que es el hombre, no habrá bajado de los 25 duros. Menos que eso no lo admito, *Nina;* no puedo admitirlo.

–Señora, usted está delirando –replicó la otra, plantándose con firmeza en la realidad–. El señor don Carlos no me ha dado nada, lo que se llama nada. Para el mes que viene empezará a darle a usted una *paga* de dos duros mensuales.

–Embustera, trapalona... ¿Crees que me embaucas a mí con tus enredos? Vaya, vaya, no quiero incomodarme... Me tiene peor cuenta, y no estoy yo para coger berrinches... Comprendido, *Nina,* comprendido. Allá te entenderás con tu conciencia. Yo me lavo las manos y dejo a Dios que te dé tu merecido.

–¿Qué, señora?

–Hazte ahora la simple y la gatita Marirramos[20]. Pero ¿no ves que yo te calo al instante y adivino tus *infundios*? Vamos, mujer, confiésalo; no trates de añadir a la infamia el engaño.

–¿Qué, señora?

–Pues que has tenido una mala tentación... Confiésamelo, y te perdono... ¿No quieres declararlo? Pues peor para ti y para tu conciencia, porque te sacaré los colores a la cara. ¿Quieres verlo? Pues los 25 duros que te dio para mí don Carlos se los has dado a ese Frasquito Ponte para que pague sus deudas y vaya a comer de fonda y se compre corbatas, pomada y un bastoncito nuevo... Ya ves, ya ves, bribonaza,

---

[20] *la gatita Marirramos:* la gatita de Mari Ramos, que hacía asco a los ratones y engullía a los gusanos. Doña Paca echa en cara a Nina que se haga la inocente sin serlo.

como todo te lo adivino, y conmigo no te valen ocultaciones. Si sé yo más que tú. Ahora te ha dado por proteger a ese Tenorio fiambre; y le quieres más que a mí, y a él le atiendes y a mí no; y de él te da lástima, y a mí, que tanto te quiero, que me parta un rayo.

Rompió a llorar la señora, y *Benina,* que ya sentía ganas de contestar a tanta impertinencia dándole azotes como a un niño mañoso, al ver las lágrimas se compadeció. Ya sabía que el llanto era la terminación de la crisis de cólera, la sedación del acceso, mejor dicho, y cuando tal sucedía, lo mejor era soltar la risa, llevando la disputa al terreno de las burlas sabrosas.

[...]

XXI

[...]

Refirió la encargada que no sabiendo don Frasquito dónde meterse, había conseguido ser albergado en la casa de *el Comadreja,* calle de Mediodía Chica, dos pasos de allí. Por más señas, había corrido la noticia de que estaba enfermo. Al oír esto, olvidósele repentinamente a *Benina* el objeto principal que a tal sitio la llevara, y no pensó más que en averiguar qué había sido del desamparado Frasquito. Tiempo tenía de dar un salto a la casa de *el Comadreja* y volver a punto que regresase a su domicilio la doña Bernarda. Dicho y hecho. Un momento después entraba la diligente anciana en la fementida tabernucha que *da la cara* al público en *el establecimiento* citado, [...]

–¿Y no está por aquí *la Pitusa*?

–Aquí está, para servirla –dijo una mujer escuálida, saliendo por estrecha puertecilla bien disimulada entre los estantes llenos de botellas y garrafas que había detrás del mostrador. Como grieta que da paso al escondrijo de una anguila, así era la puerta, y la mujer, el ejemplar más flaco, desmedrado y escurridizo que pudiera encontrarse en la fauna a que tales hembras pertenecen.

[...]

–¿Qué trae por acá la *señá Benina*? –le dijo sacudiéndole de firme en los dos hombros–. Oí contar que estaba usted en grande, en casa rica... Ya, ya sacará buenas rebañaduras... ¡Y que no tendrá usted mal *gato*[21]!

–Hija, no... De eso hace un siglo. Ahora estamos en baja.

–Qué, ¿le va mal?

–Tirando, tirando. Si sopas, comerlas, y si no, nada... Y *el Comadreja*, ¿está?

–¿Para qué le quiere, *señá Benina*?

–Hija, te pregunto por saber de él, si está con salud.

–Se defiende. La herida se le abre cuando menos lo piensa.

–Vaya por Dios... Dime otra cosa...

–Mándeme.

–Quiero saber si has recogido en tu casa a un caballero que le llaman Frasquito Ponte, y si le tienes aquí todavía, porque me dijeron que anoche se puso muy malo.

Por toda respuesta, la *Pitusa* mandó a *Benina* que la siguiera, y ambas, agachándose, se escurrieron por el agujero que hacía las veces de puerta entre los estantillos del mostrador. De la otra parte arrancaba una escalera estrechísima, por la cual subieron una tras otra.

–Es una persona decente, como quien dice, personaje –añadió *Benina*, segura ya de encontrar allí al infortunado caballero.

–De la grandeza. *Vele* aquí adónde vienen a parar los *títulos*.

[...]

Manifestó *Benina* a *la Pitusa* que era un dolor mandar al hospital a tan ilustre señorón, y que ella se determinaría a llevarle a su casa, si... Hirió la mente de la anciana una atrevida idea, y con la resolución que era cualidad primaria de su carácter, se apresuró a ponerla en práctica con toda prontitud.

–¿Quieres oírme una palabrita? –dijo a *la Pitusa*, cogiéndola por el brazo para sacarla de la cocina.

Y al extremo del pasillo, entraron en la única habitación *vividera* de la casa: una alcoba con cama camera de hierro, colcha de punto de gancho, espejos torcidos, láminas de odaliscas; cómoda derrengada y un San Antonio en su peana, con flores de trapo y lamparilla de aceite. El diálogo fue rápido y nervioso:

–¿Qué se le ofrece?

---

[21] *gato*: bolsa de dinero.

–Pues poca cosa. Que me prestes 10 duros.

–*Señá Benina,* ¿está usted en sus cabales?

–En ellos estoy, Teresa Conejo, como lo estaba cuando te presté los 1.000 reales y te salvé de ir a la cárcel... ¿No te acuerdas? Fue el año y el día del ciclón, que arrancó los árboles del Botánico[22]... Tú habitabas en la calle del Gobernador; yo, en la de San Agustín, donde servía...

[...]

XXII

No fue, como es fácil suponer, floja sorpresa la de doña Francisca al ver que le metían en la casa un cuerpo al parecer moribundo, transportado entre *Benina* y un mozo de cuerda[23]. La pobre señora había pasado la tarde y parte de la noche en mortal ansiedad, y al ver cosa tan extraña, creía soñar o tener trastornado el sentido. Pero la traviesa criada se apresuró a tranquilizarla, diciéndole que aquél no era cadáver, como de su aspecto lastimoso podía colegirse, sino enfermo gravísimo, el propio don Frasquito Ponte Delgado, natural de Algeciras, a quien había encontrado en la calle; y sin meterse en más explicaciones del inaudito suceso, acudió a confortar el atribulado espíritu de doña Paca con la fausta noticia de que llevaba en su bolso nueve duros y pico, suma bastante para atender al compromiso más urgente y poder respirar durante algunos días.

–¡Ah, qué peso me quitas de encima de mi alma! –exclamó la señora elevando las manos–. El Señor te bendiga. Ya estamos en situación de hacer una obra de caridad, recogiendo a este desgraciado... ¿Ves? Dios en un solo punto y ocasión nos ampara y nos dice que amparemos. El favor y la obligación vienen aparejados.

–Hay que tomar las cosas como las dispone... *el que menea los truenos*[24].

–¿Y dónde ponemos a este pobre mamarracho? –dijo doña Paca, palpando a Frasquito, que, aunque no estaba sin conocimiento, apenas hablaba, ni se movía, yacente en el santo suelo, arrimadito a la pared.

....

[22] *Botánico:* el Jardín Botánico, próximo al Museo del Prado.

[23] *mozo de cuerda:* hombre al que se contrataba para transportar cargas.

[24] *el que menea los truenos:* perífrasis para referirse a Dios.

Como después del casamiento de Obdulia y Antoñito habían sido vendidas las camas de éstos, surgió un conflicto de instalación doméstica, que *Nina* resolvió proponiendo armar su cama en el cuartito del comedor para colocar en ella al pobre enfermo. Ella dormiría en un jergón sobre la estera, y ya verían, ya verían si era posible arrancar al cuitado viejo de las uñas de la muerte.

–Pero, *Nina* de mi alma, ¿has pensado bien en la carga que nos hemos echado encima?... Tú que no puedes, llévame a cuestas, como dijo el otro. ¿Te parece que estamos nosotras para meternos a protectoras de nadie?...

[...]

Dejáronle solo, y *Benina* se echó nuevamente a la calle, ávida de tapar la boca a los acreedores groseros, que con apremio impertinente y desvergonzado abrumaban a las dos mujeres. Diose el gustazo de ponerles ante los morros los duros que se les debían, hizo más provisiones, fue a la calle de la Ruda, y con su cesta bien repleta de víveres y el corazón de esperanzas, pensando verse libre de la vergüenza de pedir limosna al menos por un par de días, volvió a su casa. Con presteza metódica se puso a trabajar en la cocina, en compañía de su ama, que también estaba risueña y gozosa.

–¿Sabes lo que me ha pasado –dijo a *Benina*– en el rato que has estado fuera? Pues me quedé dormidita en el sillón, y soñé que entraban en casa dos señores graves, vestidos de negro. Eran don Francisco Morquecho y don José María Porcell, paisanos míos, que venían a participarme el fallecimiento de don Pedro José García de los Antrines, tío carnal de mi esposo.

–¡Pobre señor, se ha muerto! –exclamó *Nina* con toda el alma.

–Y el tal don Pedro José, que es uno de los primeros ricachones de la Serranía...

–Pero dígame: ¿es soñado lo que me cuenta o es verdad?

–Espérate, mujer. Venían esos dos señores, don Francisco y don José María, médico el uno, el otro secretario del Ayuntamiento..., pues venían a decirme que el García de los Antrines, tío carnal de mi Antonio, los había nombrado testamentarios...

–Ya...

–Y que..., la cosa es clara..., como no tenía el tal sucesión directa, nombraba herederos...

–¿A quién?

–Ten calma, mujer... Pues dejaba la mitad de sus bienes a mis hijos Obdulia y Antoñito, y la otra mitad a Frasquito Ponte. ¿Qué te parece?

[...]

–Pero vamos a cuentas: todo eso es, como quien dice, soñado.

–Claro: ¿no has oído que me quedé dormida en el sillón?... Como que esos dos señores que estuvieron a visitarme se murieron hace treinta años, cuando yo era novia de Antonio..., figúrate..., y García de los Antrines era muy viejo entonces. No he vuelto a saber de él... Pues sí, todo ha sido obra de un sueño; pero tan a lo vivo, que aún me parece que los estoy mirando... Te lo cuento para que te rías..., no, no es cosa de risa, que los sueños...

–Los sueños, los sueños, digan lo que quieran –manifestó *Nina*–, son también de Dios; ¿y quién va a saber lo que es verdad y lo que es mentira?

–Cabal... ¿Quién te dice a ti que detrás, o debajo, o encima de este mundo que vemos no hay otro mundo donde viven los que se han muerto?... ¿Y quién te dice que el morirse no es otra manera y forma de vivir?...

[...]

XXIII

[...]

[*Benina*] se encontró de manos a boca[25] con Pedra, y Diega, que de vender venían, trayendo entre las dos, mano por mano, una cesta de baratijas de mercería ordinaria. Paráronse con ganas de contarle algo estupendo y que sin duda le interesaba:

–¿No sabe, *maestra*? Almudena[26] la anda buscando.

–¿A mí? Pues yo quisiera hablar con él, por ver si quiere tomarme...

–Le tomará a usted medidas. Eso dice...

–¿Qué?

....

[25] *de manos a boca:* de repente, inesperadamente.
[26] El moro o marroquí Almudena, compañero de mendicidad de Nina.

–Que está furioso... Loco perdido. A mí por poco me mata esta mañana de la tirria que me tiene. En fin, el disloque.

–Se muda de Santa Casilda... Se va a las Cambroneras[27].

–Le ha dado la tarantaina[28], y baila sobre un pie solo.

Prorrumpieron en desentonadas risas las dos mujerzuelas, y *Benina* no sabía qué decirles. Entendiendo que el africano estaría enfermo, indicó que pensaba ir a San Sebastián en su busca, a lo que replicaron las otras que no había salido a pedir, y que si quería la *maestra* encontrarle, buscárale hacia la Arganzuela o hacia la calle del Peñón, pues en tal rumbo le habían visto ellas poco antes. Fue *Benina* hacia donde se le indicaba, despachados brevemente sus asuntos en la calle de la Ruda, y después de dar vueltas por la Fuentecilla, y subir y bajar repetidas veces la calle del Peñón, vio al marroquí, que salía de casa de un herrero. Llegóse a él, le cogió por el brazo y...

–Soltar mí, soltar mí tú... –dijo el ciego estremeciéndose de la cabeza a los pies, cual si recibiese una descarga eléctrica–. Mala tú, *gañadora*[29] tú..., matar yo ti.

Alarmóse la pobre mujer, advirtiendo en el rostro de su amigo grandísima turbación: contraía y dilataba los labios con vibraciones convulsivas, desfigurando su habitual expresión fisonómica; manos y piernas temblaban; su voz había enronquecido.

–¿Qué tienes tú, Almudenilla? ¿Qué mosca te ha picado?

–Picar tú mí, mosca mala... *Viner migo*... Querer yo hablar *tigo. Muquier* mala ser ti...

–Vamos a donde quieras, hombre. ¡Si parece que estás loco!

Bajaron a la Ronda, y el marroquí, conocedor de aquel terreno, guió hacia la fábrica del gas, dejándose llevar por su amiga cogido del brazo. Por angostas veredas pasaron al paseo de las Acacias, sin que la buena mujer pudiera obtener explicaciones claras de los motivos de aquella extraña desazón.

–Sentémonos aquí –dijo *Benina* al llegar junto a la fábrica de alquitrán–; estoy cansadita.

–Aquí, no...; más *abaixo*...

[...]

[27] De su pobre residencia en Santa Casilda, casa de patio interior con viviendas alineadas en forma de corredores, se cambia a una zona mucho más miserable.

[28] *tarantaina*: ataque de locura.

[29] *gañadora*: engañadora. Galdós reproduce el lenguaje imperfecto del marroquí.

Sentáronse los dos. Almudena, dando resoplidos, se limpió el copioso sudor de su frente. *Benina* no le quitaba los ojos, atenta a sus movimientos, pues no las tenía todas consigo, viéndose sola con el enojado marroquí en lugar tan solitario.

–A ver..., *amos*..., a ver por qué soy tan mala y tan engañadora. ¿Por qué?

–*Poique* ti *n'gañar* mí. Yo *quiriendo* ti, tú *quirier* otro... Sí, sí... Señor *bunito, cabaiero* galán..., ti queriendo él... Enfermo él casa *Comadreja*..., tú llevar casa tuya él..., *quirido tuyo*..., *quirido*..., rico él, señorito él...

–¿Quién te ha contado esas *papas*, Almudena? –dijo la buena mujer, echándose a reír con toda su alma.

–No negar tú cosa... Tú *n'fadar* mí; *riyento* tú mí...

Al expresarse de este modo, poseído de súbito furor, se puso en pie, y antes que *Benina* pudiera darse cuenta del peligro que la amenazaba, descargó sobre ella el palo con toda su fuerza. Gracias que pudo la infeliz salvar la cabeza apartándola vivamente; pero la paletilla, no. Quiso ella arrebatarle el palo; pero antes que lo intentara recibió otro estacazo en el hombro, y un tercero en la cadera... La mejor defensa era la fuga. En un abrir y cerrar de ojos se puso la anciana a diez pasos del ciego. Éste trató de seguirla; ella le buscaba las vueltas; se ponía en lugar seguro, y él descargaba sus furibundos garrotazos en el aire y en el suelo. En una de éstas cayó boca abajo, y allí se quedó cual si fuera la víctima, mordiendo la tierra, mientras la señora de sus pensamientos le decía:

–Almudena, Almudenilla, si te cojo, verás..., ¡tontaina, borricote!...

[...]

XXIV

Después de revolcarse en el suelo con epiléptica concentración de brazos y piernas, y de golpearse la cara y tirarse de los pelos, lanzando exclamaciones guturales en lengua arábiga, que *Benina* no entendía, rompió a llorar como un niño, sentado ya a estilo moro, y continuando en la tarea de aporrearse la frente y de clavar los dedos convulsos en su rostro. Lloraba con amargo desconsuelo, y las lágrimas calmaron, sin duda, su loca furia. Acercóse *Benina* un poquito, y vio su rostro inundado de llanto, que le humedecía la barba. Sus ojos eran fuentes por donde su alma se descargaba del raudal de una pena infinita.

Pausa larga. Almudena, con voz quejumbrosa de chiquillo castigado, llamó cariñosamente a su amiga:

–*Nina...*, *amri*[30]... ¿Estar aquí ti?

–Sí, hijo mío, aquí estoy viéndote llorar como San Pedro, después que hizo la canallada de negar a Cristo. ¿Te arrepientes de lo que has hecho?

–Sí, sí..., *amri*... ¡Haber pegado ti!... ¿Doler ti *mocha*?

–¡Ya lo creo que me escuece!

–Yo malo..., *yorando* mí días *mochas*, *poique* pegar ti... *Amri*, *perdoñar* tú mí...

–Sí..., perdonado... Pero no me fío.

–Tomar tú palo –le dijo alargándoselo–. Venir *qui*..., *cabe* mí. Coger palo y dar mí fuerte, hasta que matar tú mí.

[...]

Sin dar tregua a su intensa aflicción, cortando las palabras con los hondos suspiros y el continuo sollozar, torpe de lengua hasta lo sumo, declaró Almudena lo que sentía, y en verdad que si pudo entender *Benina* lenguaje tan extraño, no fue por el valor y sentido de los conceptos, sino por la fuerza de la verdad que el marroquí ponía en sus extrañísimas modulaciones, aullidos, desesperados gritos y sofocados murmullos. Díjole que desde que el rey *Samdai*[31] le señaló la mujer *única*, para que la siguiera y de ella se apoderara, anduvo corriendo por toda la tierra. Más él caminaba, más delante iba la mujer, sin poder alcanzarla nunca. Andando el tiempo, creyó que la fugitiva era Nicolasa, que con él vivió tres años de vida errante. Pero no era; pronto vio que no era. La suya delante, siempre delante, entapujadita y sin dejarse ver la cara... Claro que él veía la figura con los ojos del alma... Pues bueno: cuando conoció a *Benina*, una mañana que por primera vez se presentó ella en San Sebastián, llevada por Eliseo, el corazón, queriendo salírsele del pecho, le dijo: «Ésta es, ésta sola, y no hay otra.» Más hablaba con ella, más se convencía de que era *la suya*; pero quería dejar pasar tiempo y *priebarlo* mejor. Por fin llegó la certidumbre, y él esperando, esperando una ocasión de decírselo a ella... Así, cuando le contaron que *Benina* quería al *galán bunito*, y que se lo había llevado a su casa nada menos que en coche, le entró tal desconsuelo, seguido de tan espantosa furia, que el hombre no sabía si matarse o matarla... Lo mejor sería consumar a

---

[30] *amri*: voz cariñosa que el marroquí aplica a Benina y que equivale a 'vida mía'.

[31] *rey Samdai*: visión divina que tuvo Almudena y que le ofreció elegir entre la riqueza o el amor verdadero.

un tiempo las dos muertes, después de haber despachado para el otro mundo a media Humanidad, repartiendo golpes a diestro y siniestro.

Oyó *Benina* con interés y piedad este relato, que aquí se da, para no cansar, reducido a mínimas proporciones, y como era mujer de buen sentido, no incurrió en la ligereza de engreírse con aquella pasión africana, ni tampoco hizo chacota de ella, como natural parecía, considerando su edad y las condiciones físicas del desdichado ciego. Manteniéndose en un justo medio de discreción, miraba sólo el fin inmediato de que su amigo se tranquilizara, apartando de su mente las ideas de muerte y exterminio. Explicóle lo del *galán bunito*, procurando convencerle de que sólo un sentimiento de caridad habíala movido a llevarle a la casa de su señora, sin que mediase en ello el amor ni cosa tocante a las relaciones de hombre y de mujer. No se daba por convencido Mordejái[32], que planteó por fin la cuestión en términos que justificaban la veracidad y firmeza de su afecto, a saber: para que él creyese lo que *Benina* acababa de decirle, convenía que se lo demostrara con hechos, no con palabras, que el viento se lleva. ¿Y cómo se lo demostraría con hechos, de modo que él quedase plenamente satisfecho y convencido? Pues de un modo muy sencillo: dejando todo, su señora, *casa suya, galán bunito*; yéndose a vivir con Almudena, y quedando unidos ya los dos para toda la vida.

No respondió la anciana con negación rotunda por no excitarle más, y se limitó a presentarle los inconvenientes del abandono brusco de su señora, que se moriría si ella se separase. Pero a todas estas razones oponía el marroquí otras fortalecidas en el fuero y leyes de amor, que a todo se sobreponen.

–Si tú *querier* mí, *amri*, mí casar *tigo*.

Al hacer la oferta de su blanca mano; acompañándola de un suspirar tierno y de remilgos de vergüenza, con sus enormes labios que se dilataban hasta las orejas o se contraían formando un hocico monstruoso, *Benina* no pudo evitar una risilla de burla. Pero conteniéndose al instante, acudió a la respuesta con este discretísimo argumento:

–Hijo, así te llamo porque pudieras serlo..., agradezco tu fineza; pero repara que he cumplido los sesenta años.

–Cumplir, no cumplir *sisenta, milienta*, yo *quierer* ti.

–Soy una vieja, que no sirve para nada.

–*Sirvi, amri*; yo *quierer* ti..., tú *mais* que la luz *bunita*; moza tú.

–¡Qué desatino!

----

[32] *Mordejái*: Almudena le ha referido a Benina en un pasaje anterior que en su tierra se llama Mordejái.

[...]

XXXI

Un sábado por la tarde se colmaron sus desdichas con un inesperado y triste incidente. Salió a pedir en San Justo: Almudena hacía lo mismo en la calle del Sacramento. Estrenóse ella con diez céntimos, inaudito golpe de suerte que consideró de buen augurio. Pero ¡cuán grande era su error al fiarse de estas golosinas que nos arroja el Destino adverso para atraernos y herirnos más cómodamente! Al poco rato del infeliz estreno, se apareció un individuo de la ronda secreta[33], que empujándola con mal modo, le dijo:

—Ea, buena mujer, eche usted a andar para adelante... Y vivo, vivo...

—¿Qué dice?

—Que se calle, y ande...

—Pero ¿adónde me lleva?

—Cállese usted, que le tiene más cuenta... ¡Hala! A San Bernardino[34].

—Pero ¿qué mal hago yo..., señor?

—¡Está usted pidiendo!... ¿No le dije a usted ayer que el señor gobernador no quiere que se pida en esta calle?

—Pues manténgame el señor gobernador, que yo de hambre no he de morirme, por Cristo... ¡Vaya con el hombre!...

—¡Calle usted, *so borracha*!... ¡Andando, digo!

—¡Que no me empuje!... Yo no soy *criminala*... Yo tengo familia, conozco quien me abone... Ea, que no voy a donde usted quiere llevarme...

Se arrimó a la pared; pero el fiero polizonte la despegó del arrimo con un empujón violentísimo. Acercáronse dos de Orden Público, a los cuales el de la ronda mandó que la llevaran a San Bernardino, juntamente con toda la demás pobretería de ambos sexos que en la tal calle y callejones adyacentes encontraran. Aún trató *Benina* de ganar la voluntad de los guardias, mostrándose sumisa en su viva aflicción. Suplicó, lloró amargamente; mas lágrimas y ruegos fueron inútiles. Adelante, siempre adelante, llevando a retaguardia al ciego africano, que

---

[33] *ronda secreta*: policía secreta.
[34] *San Bernardino*: lugar en el que se recogía a los mendigos arrestados.

en cuanto se enteró de que la *recogían*, se fue hacia los del Orden, pidiéndoles que a él también le echasen la red, y al mismo Infierno le llevaran, con tal que no le separasen de ella. Presión grande hubo de hacer sobre su espíritu la desgraciada mujer para resignarse a tan atroz desventura... ¡Ser llevada a un recogimiento de mendigos callejeros como son conducidos a la cárcel los rateros y malhechores! ¡Verse imposibilitada de acudir a su casa a la hora de costumbre, y de atender al cuidado de su ama y amiga! Cuando consideraba que doña Paca y Frasquito no tendrían qué comer aquella noche, su dolor llegaba al frenesí: hubiera embestido a los corchetes para deshacerse de ellos, si fuerzas tuviera contra dos hombres. Apartar no podía del pensamiento la consternación de su señora infeliz cuando viera que pasaban horas, horas... y la *Nina* sin parecer. ¡Jesús, Virgen Santísima! ¿Qué iba a pasar en aquella casa? Cuando no se hunde el mundo por sucesos tales, seguro es que no se hundirá jamás... Más allá de las Caballerizas trató nuevamente de enternecer con razones y lamentos el corazón de sus guardianes. Pero ellos cumplían una orden del jefe, y si no la cumplían, mediano réspice[35] les echarían. Almudena callaba, andando agarradito a la falda de *Benina*, y no parecía disgustado de la recogida y conducción al depósito de mendicidad.

XXXII

Aunque *Nina* no lo pensara y dijera, bien se comprenderá que el desasosiego y consternación de doña Paca en aquella triste noche superaron a cuanto pudiera manifestar el narrador. A medida que avanzaba el tiempo sin que la criada volviese al hogar, crecía la angustia del ama, quien, si al principio echó de menos a su compañera por la falta que en el orden material hacía, pronto se inquietó más, pensando en la desgracia que había podido ocurrirle: cogida de noche, verbigracia, o muerte repentina en la calle. Procuraba el bueno de Frasquito tranquilizarla, pero inútilmente. Y el desteñido viejo tenía que callarse cuando su paisana le decía:

–Pero ¡si nunca ha pasado esto; nunca, querido Ponte! Ni una sola vez ha faltado de casa en tantísimos años.

[...]

Al amanecer de Dios, vencida del cansancio, doña Paca se quedó dormidita en un sillón. Hablaba en sueños, y su cuerpo se sacudía de rato en rato con estremecimientos nerviosos.

---

[35] *réspice:* reprensión violenta.

[...]

Las doce serían ya cuando sonó un fuerte campanillazo. La dama rondeña y el galán de Algeciras saltaron, cual muñecos de goma, en sus respectivos asientos.

–No, no es ella –dijo doña Paca con gran desaliento–. *Nina* no llama así.

Y como quisiese Frasquito salir a la puerta, le detuvo ella con una observación muy en su punto:

–No salga usted, Ponte, que podría ser uno de esos gansos de la tienda que vienen a darme un mal rato. Que abra la niña. Celedonia, corre a abrir, y entérate bien: si es alguno que nos trae noticias de *Nina*, que pase. Si es alguien de la tienda, le dices que no estoy.

Corrió la chiquilla, y volvió desalada al instante, diciendo:

–Señora, don Romualdo.

Efecto de gran intensidad, emocional, que casi era terrorífica. Ponte dio varias vueltas de peonza sobre un pie, y doña Paca se levantó y volvió a caer en el sillón como unas diez veces, diciendo:

–Que pase... Ahora sabremos... ¡Dios mío, don Romualdo en casa!... A la salita, Celedonia, a la salita... Me echaré la falda negra... Y no me he peinado... ¡Con qué facha le recibo!... Que pase, niña... Mi falda negra.

Entre el algecireño y la chiquilla la vistieron de mala manera, y con la prisa le ponían la ropa del revés. La señora se impacientaba, llamándolos torpes y dando patadidas. Por fin se arregló de cualquier modo, pasóse un peine por el pelo, y dando tumbos se fue a la salita donde aguardaba el sacerdote, en pie, mirando las fotografías de personas de la familia, única decoración de la mezquina y pobre estancia.

–Dispénseme usted, señor don Romualdo –dijo la viuda de Zapata, que de la emoción no podía tenerse en pie, y hubo de arrojarse en una silla, después de besar la mano al sacerdote–. Gracias a Dios que puedo manifestar a usted mi gratitud por su inagotable bondad[36].

–Es mi obligación, señora... –repuso el clérigo un tanto sorprendido–, y nada tiene usted que agradecerme.

–Y dígame ahora, por Dios –agregó la señora, con tanto miedo de oír una mala noticia, que apenas hablar podía–; dígamelo pronto. ¿Qué ha sido de mi pobre *Nina*?

---

[36] Doña Paca piensa que es el benefactor que le da a Nina el dinero para mantener la casa.

Sonó este nombre en el oído del buen sacerdote como el de una perrita que a la señora se le había perdido.

–¿No parece?... –le dijo por decir algo.

–Pero ¿usted no sabe...? ¡Ay, ay! Es que ha ocurrido una desgracia, y quiere ocultármelo, por caridad.

[...]

–No es para que usted se asuste, señora. Al contrario: yo tengo la satisfacción de comunicar a doña Francisca Juárez el término de sus sufrimientos.

[...]

–Pues ya sabrá usted que el pobre Rafael pasó a mejor vida el once de febrero...

[...]

–En fin, señora mía: murió como católico ferviente, después de otorgar testamento...

–¡Ay!...

–En el cual deja el tercio de sus bienes a su sobrina en segundo grado, Clemencia Sopelana, ¿sabe usted?, la esposa de don Rodrigo del Quintanar, hermano del marqués de Guadalerce. Los otros dos tercios los destina: parte, a una fundación piadosa; parte, a mejorar la situación de algunos de sus parientes que, por desgracias de familia, malos negocios u otras adversidades y contratiempos, han venido a menos. Hallándose usted y sus hijos en este caso, claro está que son de los más favorecidos, y...

XXXVIII

[...]

Temblorosa llegó a la calle Imperial, y habiendo mandado al moro que se arrimara a la pared y la esperase allí, mientras ella subía y se enteraba de si podía o no alojarle en la que fue su casa, le dijo Almudena:

–No *bandonar* tú mí, *amri*.

–Pero ¿estás loco? ¿Abandonarte yo ahora que estás malito, y los dos andamos tan de capa caída? No pienses tal desatino, y aguárdame. Te pondré ahí enfrente, a la entrada de la calle de la Lechuga.

–¿No *n'engañar* tú mí? ¿*Golver* ti pronto?

–En seguidita que vea lo que ocurre por arriba, y si está de buen temple mi doña Paca.

Subió *Nina* sin aliento, y con gran ansiedad tiró de la campanilla. Primera sorpresa: le abrió la puerta una mujer desconocida, jovenzuela, de tipito elegante, con su delantal muy pulcro, *Benina* creía soñar. [...]

–Hola, *Nina*, ¿tú por aquí? ¿Has parecido ya? Creímos que te habías ido al Congo... No pases, no entres; quédate ahí, que nos vas a poner perdidos los suelos, lavados de esta tarde... ¡Bonita vienes!... Quita allá esas patas, mujer, que manchas los baldosines...

–¿En dónde está la señora? –dijo *Nina*, volviendo a mirar los diamantes y esmeraldas, y dudando ya que fueran efectivos.

–La señora está aquí... Pero te dice que no pases porque vendrás llena de miseria...

En aquel momento apareció por otro lado la señorita Obdulia, chillando:

–*Nina*, bien venida seas; pero antes que entres en casa hay que fumigarte y ponerte en la colada... No, no te arrimes a mí. ¡Tantos días entre pobres inmundos!... ¿Ves qué bonito está todo?

Avanzó Juliana[37] hacia ella sonriendo: pero al través de la sonrisa hubo de vislumbrar *Nina* la autoridad que la ribeteadora[38] había sabido conquistar allí, y se dijo:

«Ésta es la que ahora manda. Bien se le conoce el despotismo.»

A las arrogancias revestidas de benevolencia con que la cogió la tirana, respondió *Nina* que no se iría sin ver a su señora.

–Mujer, entra, entra –murmuró desde el fondo del comedor, con voz ahogada por los sollozos, la señora doña Francisca Juárez.

Manteniéndose en la puerta, le contestó *Benina* con voz entera:

–Aquí estoy, señora, y como dicen que mancho los baldosines, no quiero pasar; digo que no paso... Me han sucedido cosas que no le quiero contar por no afligirla... Lleváronme presa, he pasado hambre..., he padecido vergüenzas, malos tratos... Yo no hacía más que pensar en la señora, y en si tendría también hambre, y si estaría desamparada.

–No, no, *Nina*, desde que te fuiste, ¡mira qué casualidad!, entró la suerte en mi casa... Parece un milagro, ¿verdad?

---

[37] *Juliana:* nuera de doña Paca, mujer fuerte y práctica, que al recibir la fortuna se hace cargo de la situación y controla la casa.

[38] *ribeteadora:* mujer que se dedica a ribetear calzado.

[...]

–Yo de buena gana te recibiría otra vez aquí –afirmó doña Francisca, a cuyo lado, en la sombra, se puso Juliana, sugiriéndole por lo bajo lo que había de decir–; pero no cabemos en casa, y estamos aquí muy incómodas... Ya sabes que te quiero, que tu compañía me agrada más que ninguna..., pero... ya ves... Mañana estaremos de mudanza, y se te hará un hueco en la nueva casa... ¿Qué dices? ¿Tienes algo que decirme? Hija, no te quejarás; ten presente que te fuiste de mala manera, dejándome sin una miga de pan en casa, sola, abandonada... ¡Vaya con *la Nina*! Francamente, tu conducta merece que yo sea un poquito severa contigo... Y para que todo hable en contra tuya, olvidaste los sanos principios que siempre te enseñé, largándote por esos mundos en compañía de un morazo... Sabe Dios qué casta de pájaro será ése, y con qué sortilegios habrá conseguido hacerte olvidar las buenas costumbres. Dime, confiésamelo todo: ¿le has dejado ya?

–No, señora.

–¿Le has traído contigo?

–Sí, señora. Abajo está esperándome.

–Como eres así, capaz te creo de todo..., ¡hasta de traérmelo a casa!

–A casa le traía, porque está enfermo, y no le voy a dejar en medio de la calle –replicó *Benina* con firme acento.

–Ya sé que eres buena, y que a veces tu bondad te ciega y no miras por el decoro.

–Nada tiene que ver el decoro con esto, ni yo falto porque vaya con Almudena, que es un pobrecito. Él me quiere a mí... y yo le miro como un hijo.

La ingenuidad con que expresaba *Nina* su pensamiento no llegó a penetrar en el alma de doña Paca, que sin moverse de su asiento, y con los cuchillos en la falda[39], prosiguió diciéndole:

–No hay otra como tú para componer las cosas y retocar tus faltas hasta conseguir que parezcan perfecciones; pero yo te quiero, *Nina*; reconozco tus buenas cualidades, y no te abandonaré nunca.

–Gracias, señora, muchas gracias.

----

[39] *con los cuchillos en la falda:* de manera agresiva.

–No te faltará qué comer ni cama en qué dormir. Me has servido, me has acompañado, me has sostenido en mi adversidad. Eres buena, buenísima; pero no abuses, hija; no me digas que venías a casa con el moro *de los dátiles*, porque creeré que te has vuelto loca.

–A casa le traía, sí, señora, como traje a Frasquito Ponte, por caridad... Si hubo misericordia con el otro, ¿por qué no ha de haberla con éste? ¿O es que la caridad es una para el caballero de levita y otra para el pobre desnudo? Yo no lo entiendo así, yo no distingo... Por eso le traía; y si a él no le admite, será lo mismo que si a mí no me admitiera.

[...]

Estudio de
LA NOVELA REALISTA

Sociedad y cultura
de la época

Contexto histórico-social

Durante el siglo XIX se produce el auge y la consolidación de la **burguesía** como clase social diferenciada de aristocracia y pueblo, con unos intereses, aspiraciones y visión del mundo propios. Su afianzamiento se basa en el enriquecimiento económico y en el ascenso al poder político, conseguido a través de las distintas revoluciones burguesas que se propagan por Europa desde mediados de siglo.

A España, país sin burguesía fuerte, los movimientos revolucionarios llegan un poco más tarde y tienen su momento culminante en 1868, año en el que estalla la Gloriosa, revolución de carácter liberal que pretende transformar una sociedad reaccionaria y clerical en sociedad democrática. Se abre un periodo de esperanzas y de agitación política (monarquía de Amadeo I de Saboya, 1.ª República) que termina en la Restauración borbónica de 1874.

Otra fuerza social que irrumpe con vigor es el **proletariado**, nacido de las nuevas relaciones laborales y humanas que surgen tras la industrialización. La deshumanización del trabajo, los bajos salarios, las pésimas condiciones de vida frente al enriquecimiento burgués lo empujan a tomar conciencia de clase y, aprovechando el clima de libertad creado por la Gloriosa, canalizan las protestas en la fundación de distintos movimientos obreros y sindicales: AIT (Asociación Internacional de Trabajadores), PSOE (Partido Socialista Obrero Español), UGT (Unión General de Trabajadores).

La diferencia entre las dos clases sociales se refleja principalmente en la **ciudad**, escenario de los grandes cambios sociales. El nuevo urbanismo establece un modelo de ciudad en el que burguesía y proletariado habitan zonas distintas al concentrarse la población trabajadora en los barrios periféricos. Muy distinta es la situación en el **campo**, ya que el trabajador agrícola, con una mentalidad conservadora y ajeno a las organizaciones revolucionarias, sigue apegado a las formas tradicionales sirviendo con fidelidad a los terratenientes, los cuales velan por sus propios intereses económicos y políticos controlando con procedimientos caciquiles el trabajo y el voto de sus obreros.

Las contradicciones de la nueva sociedad burguesa son puestas de manifiesto en la obra de los filósofos Karl Marx (1818-1883) y Friedrich Engels (1820-1895), que conceden gran importancia a los procesos de producción y al consiguiente reparto de bienes. Puesto que los trabajadores están explotados, éstos deben luchar para transformar la sociedad (lucha de clases) e imponer en el poder la dictadura del proletariado.

Contexto cultural

En la segunda mitad del siglo XIX el **progreso**, los adelantos y descubrimientos (ferrocarril, telégrafo, vacuna...) no sólo han transformado las formas tradicionales de vida, sino que ofrecen al hombre la esperanza de mejoras ilimitadas. Se piensa que el progreso lo traen las ciencias de la naturaleza, por lo cual éstas adquieren un gran prestigio e influyen con sus objetivos y métodos en el desarrollo de otras disciplinas distintas, tales como la filosofía, la lingüística o la literatura.

La filosofía deja la especulación abstracta y de la mano de Auguste Comte (1798-1857) centra el objeto de su estudio en aquellos fenómenos que pueden ser observados y experimentados. Al igual que las ciencias son positivas, es decir aplicadas a la materia, su sistema filosófico también es positivo, de ahí el término **positivismo**: el mundo del espíritu o de la moral sólo se considera en sus manifestaciones visibles y externas, limitando el análisis a la descripción de hechos perceptibles y al establecimiento de relaciones.

También la filosofía de Marx y Engels, citados arriba, abandona el pensamiento abstracto para interpretar la historia, la sociedad y el hombre a partir de la materia. La teoría que proponen se denomina **materialismo histórico**, y su sistema **socialismo científico**. En resumen, la filosofía, antiguamente disciplina espiritual por excelencia, se llena de calificativos tales como positivo, científico y materialista.

Entre los trabajos científicos más destacados en el mundo del pensamiento se encuentran:

– *Introducción al estudio de la medicina experimental* (1865), de Claude Bernard (1813-1878), que reclama para la medicina unos nuevos métodos basados en el conocimiento del organismo humano y en las prácticas de laboratorio. De la misma forma pretende Zola transferir los procedimientos experimentales a la novela sustituyendo la imaginación creadora por la observación y experimentación de personajes.

– *Sobre el origen de las especies* (1859), de Charles Darwin (1809-1892), que introduce la idea de evolución a partir de un tronco común. La selección natural y la adaptación al medio han eliminado las especies débiles y favorecido a las más capacitadas para la supervivencia. Trasladada esta idea a la novela, es evidente el papel fundamental que desempeña el medio en la evolución de los personajes.

– Las leyes de Mendel (1822-1884), formuladas por éste en 1865, son el origen de la genética y formulan la transmisión de caracteres hereditarios. Esta teoría inspira en el naturalismo literario la idea del determinismo fisiológico.

Realismo y naturalismo

Qué se entiende por realismo

En arte, y por lo tanto en literatura, se entiende por realismo el estilo o la creación que trata de conseguir una reproducción exacta o lo más fiel posible del mundo, de la realidad.

No obstante, difícilmente una obra será una copia exacta de lo real, ya que la realidad en toda su profundidad y extensión no puede trasladarse íntegra al soporte material que maneja el artista.

Así, en literatura, siempre es preciso realizar una selección de elementos y buscar una expresión lingüística determinada, que implica elección hecha por un individuo entre otras múltiples posibilidades. Por lo tanto, aunque se aspire a la objetividad, siempre interviene la subjetividad del autor que elige unos elementos y rechaza otros. Es preferible pensar, pues, que la obra realista más que reproducir la realidad la representa; esto es, compone una imagen coincidente con la que la mayoría de individuos tiene forjada sobre un determinado contexto.

El realismo se contrapone a idealismo como dos formas opuestas de concebir la tarea creativa, en cuanto que el idealismo aspira a la expresión de un ideal más bello que la realidad, o diferente de ella, sirviéndose por ejemplo de la fantasía. El arte realista también se contrapone a abstracción o arte abstracto, que no pretende representar los objetos como son, sino que utiliza libremente las formas, los colores, las imágenes, etc., para lograr una finalidad estética. En este sentido, el realismo se identifica a veces con el arte figurativo, que representa motivos concretos de la realidad.

El realismo en literatura no es privativo de la segunda mitad del siglo XIX. Los propios realistas se encargaron de señalar los antecedentes en la literatura española: *La Celestina*, la novela picaresca, *El Quijote*. Y en cualquier momento cultural, aunque predomine la literatura fantástica o idealista, un escritor puede concebir su obra desde presupuestos realistas y ser realista a contracorriente.

Sin embargo, nunca hasta el siglo XIX había sido la novela un instrumento tan apropiado y necesario para reflejar en toda su dimensión una gran cambio histórico: el experimentado por una sociedad que salía definitivamente del Antiguo Régimen. Además, los logros artísticos fueron tales y tantos que, hablando de novela, la época realista por excelencia en Europa es el siglo XIX.

Qué es el naturalismo

Los términos realismo o naturalismo, en esencia, vienen a significar lo mismo, porque ambos pretenden obtener una copia de lo real o natural. La palabra naturalismo ya había sido empleada anteriormente, aunque la acepción actual le añade, y eso es lo que también le agrega al realismo, los principios científicos en boga.

El escritor francés Émile Zola (1840-1902) fue el iniciador del naturalismo. Empezó a ser conocido en España a finales de la década de 1870. Por estas fechas ya había escrito un buen número de novelas y otro tipo de escritos en los que exponía su concepción de la novela, que recibió el nombre de *naturalismo*, pues trataba de imitar a la naturaleza; y sus novelas las denominó *experimentales*, porque pretendía construirlas con el mismo método con que el científico trabaja y realiza sus experimentos en un laboratorio, basándose en hechos materiales.

Si la nueva ciencia es materialista, la nueva novela también pretende serlo, con el consiguiente menoscabo de los componentes idealistas. El novelista no tiene que inventar nada, sólo ha de observar y esperar los resultados.

La técnica de la observación y el experimento se lleva a cabo en el medio social que influye sobre el personaje, el cual recibe también la influencia de la herencia genética. Así, debido a la herencia y el medio, el comportamiento humano está ya determinado, nada insospechado puede ocurrir, por ejemplo, que el hombre venza los elementos negativos con su voluntad y esfuerzo. Por eso se dice que el naturalismo es determinista.

En consonancia con estos principios, el cuerpo, las condiciones fisiológicas, las taras hereditarias y cualquier función relacionada con la biología humana adquieren una importancia inusual en las obras literarias. En detrimento, claro está, de los valores espirituales que no pueden ser vistos ni sometidos a experimentos.

Y el cuerpo humano es situado en un medio que se describe y analiza pormenorizadamente constituyendo otro tema central del naturalismo: la sociedad, la ciudad con sus relaciones entre las distintas clases, la descripción de los espacios, de los terrenos proscritos, del mundo del trabajo.

En la elección de los espacios, los personajes, las cualidades físicas o psíquicas del personaje y las condiciones de vida, el novelista se inclina por lo feo, lo miserable, lo sórdido. Abundan los espacios cerrados, el burdel, la habitación mísera, el lugar de trabajo infrahumano. En cuanto a personajes, vemos desfilar a obreros, prostitutas, enfermos, locos, tarados... El conjunto de la novela es triste y sombrío.

Innovaciones de la novela realista y naturalista

La distinta forma de concebir la sociedad, la vida y el hombre, propia de los nuevos tiempos, favorece una nueva manera de entender la literatura y determina cuál es el objeto de la novela, qué historias interesa narrar y cómo debe llevarse a cabo la narración. En consecuencia, se producen las siguientes innovaciones en los elementos integrantes del relato:

El argumento

- En el realismo, el argumento carece de singularidad, pretende representar lo normal y cotidiano, no lo excepcional.
- Se refleja un tramo de la vida de los personajes como fragmento de una realidad mucho más extensa y compleja.
- Con la llegada del naturalismo, el argumento deja de ser un entretenimiento para convertirse en estudio social, histórico o psicológico.
- Se rechaza la imaginación y la fantasía como fuentes de la creación, sustituyéndolas por la observación.

Los temas

- La novela introduce temas palpitantes de la sociedad en que se escribe y lee la obra, tales como las tensiones ideológicas (religiosas, políticas) o los episodios históricos coetáneos (levantamiento de partidas carlistas, destronamiento de Isabel II, 1.ª República). Irrumpe con fuerza el mundo del trabajo (burocracia, comercio, artesanos, obreros) y el dinero como móvil imperante en la sociedad. Y junto a las formas de subsistir, las formas de vivir: diversiones, prácticas religiosas, relaciones sociales, vivienda...
- Bajo el influjo del naturalismo aparecen algunos temas de siempre tratados con óptica distinta y con mayor crudeza de tono. Así la crítica

anticlerical se fija en el mal clérigo que vive preso de sus pasiones (recuérdese la figura del Magistral en *La Regenta*). Del amor irrumpen los aspectos físicos y materiales y de la pasión interesa el impulso carnal. Otros temas muy del gusto naturalista son la enfermedad, la locura, la disformidad.

- Conforme la novela se aproxima al final de siglo, sus contenidos se tornan más simbólicos e intelectuales y se desdibuja progresivamente la realidad exterior a medida que gana espacio el mundo interior del personaje.

Los personajes

- Los personajes son vulgares y grises, sin rasgo ni distintivo especial. Más que la singularidad interesa la capacidad de observarlos y analizarlos.

- Destaca la gran importancia prestada al personaje femenino.

- En la primera etapa del realismo los personajes son encarnación de ideas: por ejemplo, la idea del progreso y la tolerancia en Pepe Rey (protagonista de *Doña Perfecta*, de Pérez Galdós); la idea de la serenidad y la belleza espiritual cristiana en Águeda (*De tal palo tal astilla*).

- Progresivamente los personajes se aproximan a los seres de carne y hueso. Contrasta la forma de ser presentados: mientras que en las primeras novelas realistas el narrador hace una descripción que caracteriza desde fuera y definitivamente al personaje (presentación de Fernando en *De tal palo tal astilla*, p. 30), posteriormente la presentación se hace desde distintas perspectivas y preferentemente ofreciendo el contenido mental del personaje a través de monólogos o del estilo indirecto libre.

- El naturalismo contempla al personaje como animal sujeto a las leyes de la naturaleza y a las de la sociedad.

El tiempo

- El conflicto se desarrolla a lo largo de unos años (no muchos) que resultan centrales en la vida del personaje.

- La obra comienza, generalmente, en el punto en que va a iniciarse el conflicto dominante de la novela. A continuación se retrocede en el tiempo para relatar o resumir hechos del pasado que interesa conocer. Una vez que se ha relatado el pasado y se alcanza el punto inicial, la narración continúa hacia adelante. Esta estructura narrativa se denomina *in medias res*, esto es, comienza a mitad de la historia.

- A veces el narrador atiende alternativamente a dos hilos distintos de la narración que suceden al mismo tiempo.

El espacio

- Los espacios son verosímiles (si no existen en la realidad, bien pudieran existir) y se dibujan con gran acumulación de detalles. Muchas veces son reales: por ejemplo, el Madrid de Galdós, y otras los espacios históricos se ocultan tras nombres falsos: la Marineda de Pardo Bazán se asienta sobre barrios, plazas, calles reales de La Coruña, pero cambiando sus nombres; la Vetusta de Clarín es una representación de Oviedo.

- Aparecen con gran profusión los espacios urbanos y los arrabales de las ciudades. También los espacios interiores: las viviendas de la burguesía y de la clase trabajadora, las fábricas y los lugares de trabajo, los casinos y las tabernas.

- El conjunto de la novela es la interacción del personaje con el mundo exterior: su aire de realidad aumenta en la medida en que el personaje está ligado a los objetos que pueblan el espacio, en la medida en que los protagonistas se impregnan de luz, sonidos, aromas concretos.

Las técnicas narrativas

- La pretensión de representar la realidad exige un narrador que conozca íntegramente la historia y el mundo interior de los personajes, esto es, se precisa un narrador omnisciente, que lo sepa todo como si fuera un dios. El naturalismo exige, además del narrador que no haga ninguna intervención directa ni valoración alguna, que se mantenga impasible ante los hechos narrados. A esto se denomina *impasibilidad narrativa*.

- Las descripciones son prolijas y abundantes.

- El diálogo es una forma de lograr impasibilidad narrativa, ya que en él sólo se escucha la voz pura del personaje. No es de extrañar, pues, que se empleen abundantes diálogos.

- El estilo indirecto libre es una novedad introducida por los realistas para ofrecer íntegramente las palabras o el pensamiento del personaje sin que sea anunciado por el narrador. A diferencia del estilo directo, en el que el hablante emplea la primera persona, el tiempo verbal en presente y las formas correspondientes al «aquí» y «ahora» del discurso, en el estilo indirecto libre el narrador reproduce palabras, pensamientos o sensaciones del personaje, manteniendo el «aquí» y «ahora» del momento en el que el personaje habló y pensó, pero empleando la tercera persona gramatical y el verbo preferentemente en imperfecto de indicativo.

- También adquiere gran importancia en algunos pasajes de Galdós y Clarín el monólogo como forma de autoanálisis del personaje, aproximándose su uso al monólogo interior moderno.

El lenguaje

- El lenguaje de los realistas gana en sencillez respecto a la etapa literaria anterior, esforzándose en depurar la retórica vacía, enfática y ornamental. La exigida impasibilidad e invisibilidad narrativa aconsejan evitar las imágenes bellas o líricas, aunque en los realistas españoles esto nunca llegó a cumplirse a rajatabla.

- La sintaxis oracional no es muy complicada. Los periodos oracionales son a veces extensos a causa de las enumeraciones motivadas por la minuciosidad descriptiva.

- En el léxico destaca la introducción de términos científicos, ya que los escritores siempre estuvieron muy atentos a la documentación para conseguir realismo hasta en los últimos detalles. Se incorporan voces procedentes de hablas locales o regionales. También hay menor inhibición a la hora de incluir voces malsonantes o de dudoso gusto.

- Finalmente uno de los grandes logros del realismo es la viveza y frescura con que se reproduce el habla coloquial.

Grandes nombres del realismo

El comienzo del realismo se remonta a la época romántica con la obra de los franceses Balzac y Stendhal. A mitad de siglo la novela realista ha triunfado en Europa: Flaubert en Francia, Dickens en Inglaterra, Tolstoi y Dostoievski en Rusia.

El realismo español es algo más tardío y recibe influencias europeas, principalmente francesas y rusas. Ya hemos mencionado la gran presencia de Zola en la década de 1880 o la incidencia de la novelística rusa en el último tramo de la etapa realista.

Los acontecimientos de 1868, año de la Gloriosa, impulsan importantes cambios sociales, entre ellos la consolidación de la burguesía como clase dominante, hecho que conlleva el triunfo de sus valores (liberalismo, materialismo, individualismo) y de su visión del mundo. Estos cambios fueron, para algunos críticos, fundamentales en la orientación y determinación de los escritores.

A partir de 1870 aparecen las primeras novelas de Alarcón, Galdós, Pereda, Pardo Bazán, Valera, Palacio Valdés. Todos ellos presentan grandes diferencias ideológicas y de estilo, pero a todos les une la nueva manera de concebir la novela: abandonado su afán por la historia pasada, centran su interés en las relaciones de un individuo del presente en lucha con su universo problemático. El realismo ha comenzado un camino que será recorrido en un periodo de 20-25 años, durante los cuales van a surgir un conjunto de obras novelísticas de indudable valor artístico para la historia de la literatura española.

Caricatura de Pérez Galdós, por Fernando Fresno (1919)
(Museo del Teatro de Almagro).

El realismo y el naturalismo en España

Antecedentes del realismo

Hacia mediados del siglo XIX imperaba en España una novela de estilo romántico. Por una parte, se cultivaba un tipo de **novela histórica**, situada a distancia en el espacio y el tiempo, con aventuras desmesuradas y héroes lejanos al hombre actual. De otra parte, había prosperado una **novela de carácter social**, de tono desdichado y lacrimógeno, con protagonistas miserables, que era consumida principalmente por las masas proletarias de las ciudades. Ambos tipos, difundidos a través de la prensa y de los cuadernillos vendidos por entregas, eran de ínfima calidad.

A gran distancia de las exageraciones anteriores, hay otro tipo de literatura que adquiere gran relieve y que preludia la aparición de una nueva novela: se trata del **artículo de costumbres**. En el tránsito del romanticismo al realismo los costumbristas son conscientes del gran cambio que experimentan la sociedad, las ciudades, las formas de vida. Y, con una mirada conservadora y nostálgica, pretenden dejar constancia del momento que se escapa. Para ello pintan tipos o escenas sociales con procedimientos descriptivos, sin dar entrada a la anécdota ni a la dramatización. Los tipos retratados dan cuenta de distintas profesiones, clases sociales, procedencias regionales... Las escenas describen fiestas, tradiciones, lugares, hábitos cotidianos. Ello exige un gran desarrollo de la capacidad para observar el entorno y acopiar datos, lo cual es imprescindible para el nacimiento de la novela realista. Aunque el género de costumbres decae hacia mediados de siglo, las novelas regionales escritas en la etapa realista incluyen muchas escenas y tipos costumbristas.

La novela costumbrista

Se ha señalado la publicación de *La Gaviota* (1848) como paso importante en la evolución del romanticismo al realismo. *La Gaviota* ya no se considera una novela romántica, aunque todavía resulte prematuro hablar de realismo. Más bien se la denomina **novela costumbrista**, por la importancia que la autora concede a la recopilación de costumbres andaluzas, leyendas, anécdotas, canciones, etc. Constituye, no obstante, un avance sobre el costumbrismo, ya que se engarza todo el material en un hilo narrativo, eje argumental de la novela.

Sin embargo, son grandes las diferencias que la separan de la nueva novela. La principal radica en el afán moralizante de la autora, que la lleva a presentar los hechos de forma parcial e interesada y a sermonear con frecuencia al lector para que le quede claro que la grandeza de España descansa en el respeto a la religión y a los valores tradicionales, fundamentos sin los cuales nada bueno puede suceder.

Otro rasgo que la aproxima más al costumbrismo que al realismo es la falta de análisis psicológico de los personajes. Para el costumbrismo existe lo genérico, el tipo, ignorando lo individual, el carácter del personaje. Lo mismo sucede en los personajes de Fernán Caballero: no existe ningún matiz que individualiza, hay personajes buenos y malos, trazados de un plumazo y sin posibilidad de cambio.

La novela de tesis

Avanzando unos años nos situamos en la década de 1870. Grandes convulsiones agitan a la sociedad y ante ellas surgen dos posturas enfrentadas: o bien la aceptación del cambio y del progreso, o bien la negación de las novedades y el consiguiente refugio en la tradición, esto es, el progresismo y el conservadurismo.

El debate nacional llega a la literatura y, según sea el talante del novelista, así será la ideología que defienda en la narración. Es lo que se denomina **novela de tesis**, es decir, la novela puesta al servicio de una idea. Estéticamente la tesis daña al producto artístico, pero no cabe ninguna duda de que la novela de los años 70 supone un avance sobre la anterior en cuanto que refleja la sociedad contemporánea y logra una expresión lingüística apropiada a los hechos que narra. Hacía falta crear un lenguaje sencillo, vivo y adecuado a los nuevos tiempos, para los cuales no servía la retórica exagerada de los románticos.

Dos escritores representativos del enfrentamiento ideológico nacional son Pereda y Galdós. La religión tratada desde el punto de vista social es el tema de *Doña Perfecta*, escrita por Galdós en 1876. Al año siguiente, y también preocupado por el asunto religioso, escribe *Gloria*, que provoca la respuesta literaria de Pereda en *De tal palo tal astilla* (1880).

Doña Perfecta y *De tal palo tal astilla* guardan entre sí grandes similitudes, como puede comprobarse a continuación:

• En cuanto a la función que cumplen los personajes

  * en las dos obras hay una pareja de jóvenes unidos por el amor:

    – Rosario-Pepe en *Doña Perfecta*;

    – Águeda-Fernando en *De tal palo tal astilla*;

  * en ambas novelas hay un personaje antagonista:

    – Doña Perfecta (apoyada por el Penitenciario);

    – la madre de Águeda (ayudada por don Lesmes).

• En cuanto al desarrollo argumental se podrían señalar tres partes:

  1. Planteamiento: etapa de formación de los protagonistas:

    – Rosario y Águeda han sido educadas por sus madres, fervientes católicas.

    – Pepe y Fernando, por sus padres, hombres cultos.

  2. Nudo: amor y obstáculos:

    – Pepe es rechazado por doña Perfecta.

    – Fernando, por la madre de Águeda.

  3. Desenlace:

    – Asesinato de Pepe.

    – Suicidio de Fernando.

Sin embargo, las novelas se diferencian por la tesis que defiende cada autor:

• Pepe es asesinado por el fanatismo religioso de su tía: la religiosidad intransigente es dañina.

• Fernando se suicida por carecer de valores religiosos: la religiosidad es fundamental en la vida.

Al margen de la novela de tesis

Pero en los años 70 no todo era novela de tesis. Concretamente en el año 1874 se publicaron dos relatos que huían de todo propósito de inculcar o demostrar idea alguna: *El sombrero de tres picos*, de Pedro Antonio de Alarcón, y *Pepita Jiménez*, de Juan Valera. Alarcón también escribió novelas de tesis de signo conservador, pero la posteridad lo recuerda por este relato humorístico basado en un romance popular.

En *Pepita Jiménez* vuelve a aparecer el tema religioso, pero aquí es presentado en su vertiente psicológica y analizado dentro del mundo interior del protagonista que vive en conflicto consigo mismo, no con ninguna fuerza exterior. Los valores religiosos no triunfan ni tampoco son derrotados, son un componente de la conciencia del personaje, capaces de conciliarse con el amor, el gusto por la vida, la alegría y la felicidad.

Y es que Valera no quería atenerse a la realidad tal cual es, ni mucho menos plantear de forma extrema graves conflictos. Él pensaba que el arte debía purificar por medio de la belleza el mundo real, que siempre aparece como fondo, aunque sólo sea para idealizarlo a su antojo. De ahí que su procedimiento novelístico se aproxime al llamado **realismo idealista**. Y por supuesto que se declaraba acérrimo enemigo de cualquier novela de tesis.

El naturalismo

La desheredada, publicada por Galdós en 1880, es la primera novela del naturalismo en España. Hacia los años 1882-1883 se desarrolla un gran debate en torno a la estética naturalista, que en gran parte está motivado por la publicación de una serie de artículos periodísticos de la Pardo Bazán, reunidos luego en *La cuestión palpitante*.

La polémica sirve para que los escritores importantes de la época manifiesten su adhesión o rechazo al naturalismo. A pesar de valorar los logros estéticos de Zola, ningún escritor afirmó su aceptación total de las teorías naturalistas. Se rechaza la concepción determinista, la renuncia a la belleza y a la imaginación y la tristeza del naturalismo, en el que Galdós echa de menos el sentido del humor.

La Pardo Bazán, entusiasta difusora del naturalismo, difícilmente puede compaginar sus creencias cristianas, según las cuales el hombre es libre para elegir, con la concepción materialista y determinista del personaje. En Galdós el naturalismo se equilibra con doctrinas de tipo idealista que ensalzan la belleza, la verdad y el bien de la existencia.

En resumen, si bien no puede hablarse de escuela naturalista española, es innegable el influjo beneficioso de Zola en cuanto a la aplicación de técnicas novelísticas, el empleo del lenguaje y, sobre todo, la mayor libertad al escoger y tratar temas que antes estaban vedados.

Elementos naturalistas en las novelas seleccionadas

Estas novelas fueron compuestas en la década de 1880, y aunque no pueden calificarse de plenamente naturalistas, sí resultan útiles para rastrear la huella naturalista. Los textos han sido seleccionados pensando en elementos temáticos, ambientales o ideológicos, visibles en gran parte de la producción naturalista:

• **Determinismo ambiental**, es decir, influencia del medio en la evolución y desenlace del conflicto. Este tipo de determinismo es más suave que el fisiológico, en el que el individuo ya está marcado por la enfermedad hereditaria.

El determinismo ambiental puede percibirse, por ejemplo, en *Los pazos de Ulloa*, donde se establecen en un principio unas condiciones adversas a las cuales sucumben los personajes que han pretendido luchar contra ellas para modificarlas.

• **Lo feo, lo ruin, lo sórdido** están presentes en muchas novelas españolas de estos años y aquí quedan igualmente reflejados en algunas páginas de *Los pazos de Ulloa*. Aunque la carencia de belleza,

Retrato de Emilia Pardo Bazán, publicado *en* La Ilustración Gallega y Asturiana.

la crueldad y miseria son elementos frecuentes en la narrativa de la época, no todo es negativo: también pueden encontrarse detalles de bondad y solidaridad humana.

- **El amor y erotismo**, presentado desde perspectivas no habituales, dan entrada a la pasión, al deseo, a la carnalidad e incluso a la prostitución.

  El tema amoroso está presente en muchas páginas de nuestra novela realista. Recordemos simplemente dos novelas cumbre del realismo español: *Fortunata y Jacinta* y *La Regenta*. De ésta presentamos un resumen del conflicto amoroso.

- **El estudio de la sociedad contemporánea** lo centran los autores principalmente en la ciudad y sus habitantes, con sus formas de vida, sus trabajos y penalidades. En menor medida las novelas se ambientan en el medio rural, al que no se pinta con trazos idílicos, sino más bien duros, reflejando las penurias, el retraso, la incultura o malicia de sus gentes. En nuestras páginas una muestra del tratamiento del mundo rural se encuentra en *Los pazos de Ulloa*.

  En los textos seleccionados se destacan dos grupos sociales que habitan en el medio urbano: la burguesía y el pueblo. Las páginas elegidas de *Fortunata y Jacinta* ponen de manifiesto el alto concepto que tiene de sí misma la clase media respecto al pueblo, del que se distingue por su forma de hablar, sus modales, su vestimenta, sus aspiraciones y su visión del mundo. De otra parte, el pueblo, a lo largo de la novela, se manifiesta como una clase vital, espontánea, dinámica, apasionada y sufrida, que avanza sin las cortapisas racionales que encorsetan a la burguesía.

  En el capítulo de *La Tribuna* irrumpe un nuevo tipo de clase popular urbana, producto de las relaciones fraguadas tras la revolución industrial: es el proletariado, nueva fuerza social en ascenso. Además de ser la primera novela de ambiente obrero, ofrece la novedad de la protagonista femenina para encarnar la lucha social que está comenzando.

  Centrándonos en la clase media y buscando uno de sus ámbitos laborales propios, hemos seleccionado como particularmente significativo el de la Administración. Y en ella nos hemos detenido, no en los personajes favorecidos por el enchufismo ni en los premiados por estar su partido político en el poder, sino en aquellos que sufren el drama de la cesantía y carecen de ingresos económicos, tal y como le sucede al protagonista de *Miau*.

La superación del naturalismo

Hacia el final de los años 80 el naturalismo entra en una etapa de adaptación a nuevos intereses ideológicos y estéticos.

En abril de 1887 Emilia Pardo Bazán da una serie de conferencias en el Ateneo de Madrid, que se publican ese mismo año bajo el título *La revolución y la novela en Rusia*, y en ellas manifiesta la conveniencia de aceptar el **modelo de novelar ruso**, cuyas narraciones están iluminadas por altos valores espirituales. La influencia rusa pasa a ocupar el lugar de la francesa y esto se evidencia en el desagrado general con el que se recibe *La bestia humana* de Zola, publicada en el año 1890. Ese mismo año Clarín, al prologar *Realidad*, de Galdós, manifiesta que el naturalismo es ya un movimiento pasado.

En el verano de 1891 se desarrolla un debate sobre la nueva novela. De él interesa destacar el desacuerdo expresado respecto a la novela anterior junto con el deseo de crear una nueva novela que atienda al sentimiento y que incorpore valores idealistas. Los distintos valores que importan a partir de este momento responden a diversas corrientes ideológicas, pero todas tienen en común **la religiosidad**. No se trata de una religión severa y prohibitiva al modo tradicional tal y como, por ejemplo, se refleja en *Doña Perfecta* o *De tal palo tal astilla*, sino que acoge un sentir religioso amplio, abierto a la libertad de pensamiento, que rebasa los límites preceptivos marcados por la Iglesia católica. La figura de Jesucristo, referencia importante en muchas novelas, se ofrece desde su lado humano, prescindiendo del divino.

Los conflictos que se plantean en la novela tienen, prioritariamente, carácter ético y la superación de los mismos se produce por medio de una resignación extrema y de una heroica aceptación del sufrimiento, tal y como sucede en la novela rusa. Los protagonistas son seres insignificantes, mediocres, desvalidos, pero están dotados de unos valores morales realmente extraordinarios, como ocurre con Nina, protagonista de *Misericordia*, que lleva la caridad cristiana a unos extremos excepcionales.

Otro posible tipo de personaje es aquel ser mezquino que en un momento determinado adquiere conciencia de su vida errónea y, luchando contra sí mismo, es capaz de llevar a cabo su transformación que le convierte en un ser nuevo. Esto le sucede a Bonis, protagonista de la novela de Clarín *Su único hijo,* el cual ve una luz que le muestra su vacío interior, falsamente ocupado por un ideal artístico y una pasión erótica. Cuando busca algo que purifique y dé sentido a su existencia, algo que haga nacer de él un hombre nuevo, le viene a la cabeza la idea de la paternidad. Su hijo, en el que siente la prolongación de su propia vida, encarna simbólicamente su renacimiento, su vuelta a la luz siendo un ser nuevo. A la vez es el vínculo real que le ata a la vida, a la familia, a un sabio orden establecido que exige sacrificio, abnegación y amor.

En todos estos rasgos de la nueva novela influyen no sólo corrientes extranjeras, sino también la propia situación española. Los autores de la última época realista están viviendo los grandes cambios culturales que aceleran la incorporación de España, país retrasado, a la modernidad. Cambios que a su vez también contribuyen a fomentar la crisis hispánica de fin de siglo. Sus novelas surgen de la misma realidad que inspira a la llamada generación del 98, cuyas obras empiezan entonces a publicarse.

Pero la disolución del naturalismo no se produjo de forma automática ni general. Hubo críticos que manifestaron su repulsa por novelas de contenido espiritual. También hubo escritores que siguieron fieles al naturalismo. Entre ellos el más conocido es Vicente Blasco Ibáñez, coetáneo de los hombres del 98, que se mantuvo apegado al naturalismo y lo prolongó hasta entrado el siglo XX: *Cañas y barro* (1902) es una novela confeccionada con los patrones que diseñara casi 30 años atrás Émile Zola.

Opiniones sobre
LA NOVELA REALISTA

«Más abajo socialmente que Fortunata, hay alguien, alguien muy pobre que no tiene ni idea. Es una criada llegada de la Alcarria, sin memoria de ayer, sin nombre apenas. Benigna de Casia, "Nina" la de *Misericordia*. Vive de milagro, más que trabajadora, es taumaturga. En sus humildísimos menesteres, ha alcanzado la creación, pues saca de la nada lo que su ama, pobre señora, necesita no sólo para sustentarse sino para el mantenimiento de su dignidad de desheredada que va a heredar de nuevo; de "cesante" de la herencia.

Nina pide limosna con la naturalidad de quien piensa que el pedir y el dar es la ley del mundo, de quien no cree en la justicia sino en la misericordia. Nada ante sus ojos es cosa; aun los billetes de banco son gracia de Dios. Todo es producto de la creación divina, y el mundo entero con sus amargura y trampas; la vida, con su diaria brega, es bendición de sus manos. El universo, entero para esa mujer analfabeta, está impreso de huellas de la divina creación. Por eso la verdad y la mentira –piensa ella– no las sabemos y todo puede esperarse porque todo puede ocurrir. "Las verdades han sido antes mentiras muy gordas"... La realidad es creación, zarza ardiente que no se acaba, fuego sin ceniza; resurrección.

Entre ella y su rendido caballero Almudena componen la más extraña pareja de nuestra novelística. Don Benito al fin dejó un portillo abierto en los muros de la tragedia para esta agua de manantial. Extraña pareja que lleva en su ignorancia los dos manantiales salvadores de España, sus dos fes –si es que son dos– vivificantes: la poesía y el cristianismo sin tragedia, de la creación y la misericordia.»

(MARÍA ZAMBRANO: *España, sueño y verdad*, Edhasa, Madrid, 1982, p. 88.)

«Pero vengamos al lenguaje naturalista en el sentido más estricto del término. A un nivel sintáctico, ese lenguaje privilegia la estructura media de oraciones y períodos: ni larga ni apretada. Si a veces los párrafos adquieren vastedad y longitud es porque la descripción de circunstancias y objetos, a fin de determinar a los personajes, se propone dejar minucioso testimonio de lo observado. [...] Entre innúmeros ejemplos, recuérdese la descripción inicial del polvo levantado por el viento Sur en *La Regenta* o la imagen de la ciudad a través del catalejo de don Fermín en el mismo capítulo primero (todo sobre desenvolvimiento espacial) y el "vistazo histórico sobre el comercio matritense" en el capítulo II de *Fortunata y Jacinta* (narración que pasa revista a las cambiantes novedades según el ritmo de las generaciones).

[...]

Si el discurso descriptivo, o narrativo, tiende a esta exposición equilibrada, el habla de los personajes quiere sonar a verdad y para ello emplea el narrador la vieja norma del *decorum* en un grado de máxima diferenciación, reproduciendo el lenguaje coloquial y la forma de hablar de las clases bajas (así, por no mencionar a los cántabros de Pereda, la Sanguijuelera y el hermano de Isidora y los amigos de éste en *La desheredada*, las cigarreras de *La Tribuna*, o Celedonio y Bismarck en la torre de la catedral de Vetusta, y, por supuesto, los socios del casino vetustense).»

(GONZALO SOBEJANO: «El lenguaje de la novela naturalista», en YVAN LISSORGUES (ed.): *Realismo y naturalismo en España*, Anthropos, Barcelona, 1988, pp. 606-607.)

«Pero antes convendría tal vez enumerar los varios y fundamentales aspectos que pueden distinguirse en la estructura o composición de la novela.

Por un lado, cabe recordar que la descripción de las costumbres de toda una ciudad de provincia –Vetusta– sirve de algo más que de telón de fondo, y adquiere en *La Regenta* valor de protagonista. Sobre ese fondo –ciudad triste, levítica– se desarrolla un drama de adulterio, el de Ana Ozores. Las circunstancias que la arrastran a ese adulterio son muy complejas, pues junto al hastío de la vida provinciana, capaz de movilizar a una mujer refinada e imaginativa –como Emma Bovary– hacia la liberación entrañada en la rebeldía del pecado, hay también que contar la falta de amor conyugal y la carencia de hijos: "Ni madre ni hijos", piensa una vez Ana Ozores, revelándonos así el último resorte de su tragedia. Todas éstas son causas o con-causas capaces de provocar ese violento estallido emocional que se produce en los últimos capítulos del relato.

Junto a la ciudad y al tema del adulterio –tema éste que permite alinear *La Regenta* junto a otras novelas de su siglo: *Madame Bovary, El primo Basilio, Ana Karenina,* etc.– hay que registrar un tercer elemento en la trama novelesca, que es la evolución de la mal orientada religiosidad de Ana; elemento importantísimo, por cuanto *Clarín* encarnó sus inquietudes espirituales en las de la protagonista de su obra (caso semejante al del cuento *Cambio de luz*). Las crisis místicas experimentadas por Ana Ozores deben ser trasunto de las del propio Alas.

Hay que señalar también, y es quizá uno de los ingredientes más importantes de la novela, la evolución de la pasión que don Fermín siente por Ana.»

(Mariano Baquero Goyanes: «Exaltación de lo vital en *La Regenta*», en José María Martínez Cachero (ed.): *Leopoldo Alas «Clarín»*, Taurus, Madrid, 1978, pp. 162-163.)

Cuadro cronológico

Años	Sociedad	Cultura
1848	• Revolución en Europa. • Primer ferrocarril español.	• *La Gaviota*, de Fernán Caballero.
1853		• *La Traviata*, de Verdi.
1854	• Comienza el bienio progresista tras la sublevación de O'Donnell.	• *Tiempos difíciles*, de Dickens.
1855	• Desamortización de Madoz.	
1856		• *La familia de Alvareda*, de Fernán Caballero.
1859	• Comienza la guerra colonial española en Marruecos.	• *El origen de las especies*, de Darwin.
1862	• Se inicia la guerra en el Pacífico entre España y Filipinas.	
1864	• Fundación de la Primera Internacional.	• Pereda: *Escenas montañesas*.
1865		• *Guerra y paz*, de Tolstoi. • *Introducción al estudio de la medicina experimental*, de Claude Bernard.
1866		• *Crimen y castigo*, de Fiodor Dostoievski.
1867		• *El Capital*, de Marx.
1868	• Revolución de Septiembre. • Destronamiento de Isabel II. • Sublevación en Cuba.	
1870	• Amadeo I es proclamado rey de España. • Primer congreso obrero español en Barcelona.	
1871		• Comienza la serie de los Rougon-Macquart, de Zola.
1872	• Tercera guerra carlista.	
1873	• Abdica Amadeo I. Proclamación de la 1.ª República.	• Primera serie de *Episodios nacionales*, de Galdós.
1874		• *Pepita Jiménez*, de Valera. • *El sombrero de tres picos*, de Alarcón.
1875	• Restauración borbónica: Alfonso XII.	

Años	Sociedad	Cultura
1876	• Fin de la guerra carlista. Constitución de 1876. • Invención del teléfono.	• *Doña Perfecta*, de Galdós. • Giner de los Ríos funda la Institución Libre de Enseñanza.
1878	• Paz de Zanjón entre Cuba y España. • Edison inventa la lámpara incandescente.	• *Parsifal*, de Wagner.
1879	• Fundación del PSOE.	
1880		• *De tal palo tal astilla*, de Pereda.
1881		• *La desheredada*, de Galdós.
1883		• *La cuestión palpitante*, de Pardo Bazán.
1884	• Primer motor de gasolina.	• *La Regenta*, de Clarín.
1885	• Muerte de Alfonso XII. Regencia de María Cristina.	
1886		• *Los pazos de Ulloa*, de Pardo Bazán. • Galdós: *Fortunata y Jacinta*.
1887		• *La revolución y la novela en Rusia*, de Pardo Bazán.
1888	• Fundación de la UGT. • Exposición Universal de Barcelona.	• *Miau*, de Galdós. • *Azul*, de Rubén Darío.
1889	• Segunda Internacional.	
1890		• Clarín: *Su único hijo*.
1893		• Pereda: *Peñas arriba*.
1894		• Blasco Ibáñez: *Arroz y tartana*.
1895	• Empieza la guerra en Cuba. • Cinematógrafo de los hermanos Lumière.	
1897		• *Misericordia*, de Galdós.
1898	• Guerra hispano-norteamericana. • Pérdida de Cuba y Filipinas.	• *La barraca*, de Blasco Ibáñez.
1900		• Segunda serie de *Episodios nacionales*, de Galdós. • *Ninfeas* y *Almas de violeta*, de Juan Ramón Jiménez.

Bibliografía comentada

Obras de carácter general

FERRERAS, JUAN IGNACIO: *La novela en el siglo XIX (desde 1868)*, Historia Crítica de la Literatura Hispánica, vol. XVII, Taurus, Madrid, 1990.

Este libro, aconsejable por su concisión, caracteriza en conjunto la llamada generación de 1868 y se aproxima brevemente a cada uno de sus componentes. En la segunda parte dedica una mayor atención a la trayectoria de Galdós.

LISSORGUES, YVAN: *Realismo y naturalismo en España en la segunda mitad del siglo XIX*, Anthropos, Barcelona, 1988.

Obra de gran interés. Recoge las conferencias pronunciadas en un Congreso Internacional, por lo que no es preciso leer la totalidad del libro, sino que cada una de ellas puede consultarse independientemente, según lo que interese extraer. Las conferencias están organizadas en dos partes: la primera recoge cuestiones generales del realismo y del naturalismo, mientras que la segunda analiza aspectos particulares de novelistas y de obras significativas del movimiento.

PATTISON, WALTER T.: *El naturalismo español*, Gredos, Madrid, 1965.

La obra traza la evolución del naturalismo en España: acogida inicial del movimiento francés en la vida literaria (revistas, actos culturales), momento de apogeo y posterior disolución.

RODRÍGUEZ MARÍN, FRANCISCO: *Realismo y naturalismo: la novela del siglo XIX*, Anaya, Madrid, 1991.

Libro muy recomendable, ya que no está pensado para especialistas, sino para aquellos que deseen adquirir una visión global del tema. La claridad organizativa y expositiva, el carácter fundamental de los temas tratados y la brevedad aconsejan su consulta antes de acceder a otras obras aquí presentadas.

Obras sobre autores concretos

CASALDUERO, JOAQUÍN: *Vida y obra de Galdós*, Gredos, Madrid, 1974.

Se recomiendan particularmente los capítulos centrales del libro (II, III, IV, V), que dan cuenta de la evolución artística de Galdós desde sus iniciales intereses históricos y abstractos hasta su etapa espiritualista.

GULLÓN, RICARDO: *Galdós, novelista moderno*, Gredos, Madrid, 1973.

Aunque la obra tiene coherencia interna, puede acudirse a capítulos aislados para profundizar en aspectos parciales de su vida y obra: su relación con escritores europeos, los fundamentos de su tarea creativa, temas y elementos recurrentes a lo largo de su obra, uso del lenguaje y técnicas empleadas son algunos de los asuntos importantes tratados en los distintos capítulos.

MARTÍNEZ CACHERO, JOSÉ MARÍA (ed.): *Leopoldo Alas «Clarín»*, Taurus, Madrid, 1978.

Conjunto de artículos de distintos autores sobre vida, semblanza y obra de Clarín. Respecto a su semblanza puede resultar interesante el titulado «Alma religiosa de Clarín» (datos íntimos e inéditos). Respecto a su obra y en relación con los aspectos tratados en esta antología interesan los artículos dedicados a *La Regenta* y a *Su único hijo*.

PARDO BAZÁN, EMILIA: *La cuestión palpitante*, Edición de J. M. González Herrán, Anthropos, Barcelona, 1989.

Es un documento de primera mano para conocer un capítulo importante en la aclimatación del naturalismo en España. Además interesa el estudio introductorio de González Herrán, particularmente las páginas del comienzo que dedica al análisis de Zola a partir de sus textos teóricos.